海への巡礼

岡本勝人

左右社

海への巡礼

文学が生まれる場所

「忘れちゃだめよ、普通の速さで歌うようにって意味よ」

とアンヌ・デパレードは言った。

「普通の速さで歌うように、だね」

と少年は繰り返した。


マルグリット・デュラス『モデラート・カンタービレ』田中倫郎訳

目次

1　モン・サン＝ミッシェル

1　イル＝ド＝フランス

　パリの近郊ほぼ一〇〇キロメートル以内の地域を、イル＝ド＝フランスという。東はシャンパーニュに接し、フォンテーヌブローの森や城が、南にはミレーらの風景画家たちが住んだバルビゾンがある。コローやバルビゾン派の画家たちは、イタリアの国が好きだった。西の郊外にはボースの麦畑に建つシャルトルの教会があり、ウール川から見あげられる。北にあるのは、パリの北駅から電車で行く競馬場や「ベリー公のいとも美しき時禱書」やラファエロの「三美神」のあるコンディ公の居城、シャンティイ城である。いかにもフランス的なこの地から、ノルマンディ地方へと旅したことがある。

プルースト（一八七一―一九二二）は、父方の故郷であるパリ郊外の土地イリエをコンブレーと名づけた。一九七一年に、その作品にちなんで、イリエ＝コンブレーと正式に改称されている。さらにノルマンディへの旅を通じて、この地に創作した町をバルベックと名づけた。当時はパリから馬車や汽車で行くのが世紀末の旅の風景だった。現代であれば、自家用車やキャンピング・カーやバスで行く郊外である。プルーストは喘息持ちで、近郊のイリエ＝コンブレーは、リラやさんざしの花粉のために滞在を禁じられた場所である。青年は、山や海の空気のいいところに行かなければならなかった。

バルベックは創作上の町であったが、そのモデルとされたカブールはフランスの北ノルマンディにある小さな漁村である。ここが十九世紀半ば、保養地として開発されることになる。そしてできてゆくのがイタリアのトスカーナの古都シエナに比較できる芸術家コロニーであった。プルーストにとって、イリエ＝コンブレーやバルベック、そしてフィレンツェ、ヴェネツィアの地は、失われた記憶から土地に付着した思い出と匂いを手繰りよせるものだったことだろう。

眠れない夜、私が一番よく思い浮かべるいくつかの部屋のなかで、バルベックの〈海のグランドホテル〉の部屋ほどあのコンブレーの部屋とかけはなれたものはなく、粉をまぶしたようにコンブレーの部屋を覆っていた空気が、ざらついた、花粉だらけの、食べられそうでしかも信心深い空気であるのに対して、この〈海のグランドホテル〉にはエナメル塗料がかけられており、ちょうどプールの内側のつるつるした壁が青い水をたたえているように、澄んだ、空色の、塩気を含んだ空気をたたえているのであった。

（プルースト「スワン家の方へ」『失われた時を求めて』鈴木道彦訳）

パリからモネの館と睡蓮の池があるジヴェルニーを訪れ、次はノルマンディ地方第一の都市ルーアンへとむかう。この町でフローベール（一八二一―一八八〇）が生まれている。モーパッサン（一八五〇―一八九三）は少し北にあるディエップの港の近郊で生まれていた。そのほか、ノルマンディにはオンフルール、トルーヴィル、ドーヴィル、ル・アーブル、エトルタなどの港町や海岸の景勝の地がある。エトルタは海峡に突き出たアヴァルの断崖で知られるが、内陸部の地域に目をむけると、キュヴェルヴィルの村がある。アンドレ・ジッド（一八六九―一九五一）と縁が深く、『狭き門』の舞台となった白い館や彼の墓のある村である。さらには、誰でも一度はみたことのある映画「シェルブールの雨傘」やドーヴィルが舞台の「男と女」もこの地方の風景を伝える。そこには、暗澹とした雨にしのつく海や港の灯が映し出されている。象徴的な北の海が映像化されたのだ。

シェルブールからカマンベールを横手に見ながら、ル・マンの街に着く。この辺りは、もうロワール河の流域だ。オルレアンから川沿いに下ってゆけば、シャンボール、アンボワーズ、シュノンソー、そしてシノンの城に出る。トゥールに生まれたバルザック（一七九九－一八五〇）の、『谷間の百合』で知られる土地である。

この地方は、英仏海峡を挟んで、イギリスとフランスの文化混交がなされた場所である。ノルマン人による過酷な征服と解放の歴史が繰り返された。この文化混交の歴史を語る場合、安易に文化の共生ということはできない。しかし、現在の旅人は、この地方にある木造民家に英国と同じ様式を見つけ、英国的でありかつフランス的ともいえる雲と牛のいる風景に出会う。そこには、共通のブルトン的な文化が息づいている。日本と朝鮮半島を行き来する人々が、親和力をもって眺める白磁や青磁の交通と海上の移動に似たものがあった、といっていい。

――どちらからいらしたんです？

――ノルマンディーさ。

――なぜまたそんな遠方から？　おまけにこんな遅くに騒ぎ立てるなんて、どうしたわけですか？

――うえの奴等にうんざりさせられてるからさ。

顔を見合わせたのはほんの一瞬だけだが、それでじゅうぶんだ。じゃがいもの袋を運びあげていると、彼らのトラックの、ふたたび動き出す音が聞こえる。

（ジャック・レダ『パリの廃墟』堀江敏幸訳）

パリの町を歩く散策者ジャック・レダ（一九二九－）も、労働力の供給源であるノルマンディやブルターニュへの思いをもつ。旅行客がバスから見る、農場に群れる牛や斑状に浮かぶ白い雲の流れや林檎の樹や花だけでなく、パリの場末のレストランのナイトライフは、ブルターニュ出身のギャルソンに白ワインを注文する光景からはじまるのだ。翡翠のような緑色をしたブルターニュ産の小粒の牡蠣が冬の貴重な味覚だった。テーブルには甘い田舎産のシードルもお似合いだ。ノルマンディ地方や、アンドレ・ブルトン（一八九六－一九六六）が生まれ育ち、ゴーギャン（一八四八－一九〇三）が帰郷したブルターニュ地方を旅行することは、フランス人にとって、パリの都会生活や田舎の農業生活からはなれた、移動する祝祭といってもいいのだ。

パリ市内にあるイタリアニズムのリュクサンブール公園では、森のなかでボードレール（一八二一－一八六七）の彫像に出会う。彼の「旅」は、ノルマンディのオンフルール海岸にある母親の別荘で制作された。この詩は、日本の読者には蓮實重彥氏の大著『凡庸な芸術家の肖像　マクシム・デュ・カン論』で知られる、フローベールの友人の文筆家マクシム・デュ・カン（一八二二－一八九四）に捧げられたものだ。

俺たちは、或る朝、頭脳に炎を充たし、心に
苦い欲望と怨恨を　悲しく抱いて船出して、
波のうねりの律動のまにまに、無限の想念を
有限の大海原の上に　揺るがせながら　行く。
〔略〕
出発せねばならないか。停るべきか。停り得るなら
停るがよい。必要ならば発つがよい。或る者は走り
或る者は蹲るが、みな不幸を齎す油断のない仇敵、
「時」を　欺くためだ。悲しいことに、「さまよへる猶太人《ユダヤ》」か
〔略〕
俺たちは　船を乗出そう、年若い旅客のやうに
氣も浮き浮きと、暗黒の冥府の海に。
聞こえるかい、あの声が。可愛らしくて陰鬱な
あの歌声が。〔略〕

（ボードレール「旅」『悪の華』鈴木信太郎訳）

ブルターニュ地方は、フランスの他の地域より貧しい時代が長くつづいていた。私たちが辿り着いたのは、陸軍部隊の駐在する第一の都市レンヌの町であった。土砂降りの雨の夜についたので、雨もよいの暗い風景しか印象に残っていない。

ブルターニュには、絵画史上忘れてはならない画家がいる。ゴーギャンだ。

ボードレールやマラルメの歌った「旅への誘い」の調べは、絵による新しい詩を夢みていたパリ時代のゴーガンの心を深く動かしたものであったが、ゴーガンは、旅をせず旅への誘いが歌える様な詩人ではなかった。彼は、生まれながらの旅行者であった

（小林秀雄「ゴーガン」『近代絵画』）

小林秀雄（一九〇二―一九八三）は『近代絵画』で、アルルやパリやタヒチのゴーギャンについて語っている。挿絵には「ヤコブと天使」や「黄色いキリスト」、タヒチでの死の床に飾られていた「雪のブルターニュの村」も載せている（新潮文庫版）。

ブルターニュの地方では、イエスの母マリアの母アンナ、つまり聖アンナが守護聖女であった。聖アンナが降臨したと言われる聖地のサンタンヌ・ドーレイでは、毎年、ケルト人のキリスト教化が進んだ時代まで遡るというパルドン祭が開かれる。しかし、小

林秀雄のゴーギャン論では、ブルターニュの文化の古層については、ほとんどふれられてはいない。もちろん、タヒチだけでなく、カリブ海に浮かぶマルチニック島についても、悲しき熱帯に足を踏み込んだ構造主義者たちが論ずるようには論じてはいない。

ゴーギャンにとっては、ラブレー（一四八三?－一五五三）も書いている巨石遺跡の散在するケルト文化が、タヒチの民俗と通底しているふしがある。小林秀雄によれば、セザンヌ（一八三九－一九〇六）はゴーギャンの絵を認めなかった。そして彼の絵を「支那風のイマージュ」と見ている。セザンヌが感じとったここにこそ、ケルト的な色彩と造形や、民俗の香りに通ずるものがあるのだろう。セザンヌも小林秀雄も、近代に対置される普遍的な自然についての見とおしはあったが、その民俗の血までは語るすべをもたなかった。ゴーギャンは、ポンタ・ヴェンかプル・デュで描かれたといわれた「雪のブルターニュの村」に最後の絵筆を走らせた。死んでいく画家がもつ南への親和性こそ、ケルトの異国の土地の古層に対する悲しき熱帯にふさわしいものだったろう。

もちろん現代のように、ケルト人およびケルト文化の紹介が十分になされた時代ではなかった。小林秀雄がケルト文化に少しも触れていないのは、そのことに関心がなかったということではない。近代的自我の発露としての、後期印象派からずれていく象徴性を追っていたのだ。ゴーギャンが住みくらしたブルターニュやポンタ・ヴェンのトポロジーと、文化の古層に思考を馳せる時代はいまやってきたのだ。

2　ノルマンディとブルターニュ

小林秀雄訳のランボーから出発したのが詩人、飯島耕一（一九三〇-二〇一三）である。『シュルレアリスムという伝説』の著書がある。今日のモダニズム思想から現代思想の源流をつなげようとする、思想史的な書物だ。シュルレアリスムの手法は現在、例えば自動記述などのように、一部の詩人によって継承されているが、サルトル（一九〇五-一九八〇）を中心とする戦後の実存主義の哲学とともに、現代思想の翻訳の荒波のなかで、影が薄いものとなった一面がある。モダニズム思想の中心的活動であるシュルレアリスムが、文化人類学者レヴィ゠ストロース（一九〇八-二〇〇九）や精神科医で哲学者のジャック・ラカン（一九〇一-一九八一）などの構造主義とどのような思想史的な流れをもつのか、いまひとつ判然としない。飯島耕一のこの本では、そこのところが切れ味さわやかに、簡潔に語られている。

アンドレ・ブルトンは一九二四年に「現在もなおわたくしを感動させるものといえば自由という一語を除いて他にはない」（「超現実主義宣言」生田耕作訳）と書いた。ブルトンをはじめ、シュルレアリストを中心とするモダニストにとって、パリから北にある、実際は西方に近いブルターニュ地方は、精神を開放させる重要な土地であった。「一口に言って、ブルトンは北の人なのだ。ブルターニュ－ブルトン人－ブルトン語－アンドレ・ブルトン」と、飯島耕一はブルトンを追跡する。

ブルトンが生まれたのは、ノルマンディのタンシュブレーである。幼年期は、四歳まで母方のブルターニュのサン＝ブリユーで養育された。この町は、ヴィリエ・ド・リラダン（一八三八－一八八九）の生まれた町でもある。リラダンをパリの文人たちに紹介したのは、前述のボードレールだった。ブルトンもリラダンも、幾つかの作品のなかで、ケルト文化を内在化する作品を書いている。さらに世紀末の詩人マラルメ（一八四二－一八九八）や、ロベール・ドアノー（一九一二－一九九四）のローライフレックスに写し出された詩人ジャック・プレヴェール（一九〇〇－一九七七）も、ブルターニュ地方につよい関心をしめす旅をしている。マラルメは、イギリスに最も近いル・コンケの突端にまで行った。ブルターニュには、ブルトンだけでなく、シュルレアリストのバンジャマン・ペレ（一八九九－一九五九）やジェラール・ルグラン（一九二七－一九九九）もパリから訪れている。

連想が飛ぶようだが、ヴィクトル・ユゴー（一八〇二－一八八五）が亡命生活をした英仏海峡の英国領ガーンジー島も、ノルマンディと北ブルターニュのあいだの海に浮かぶ。

パリのブルトンは時折、ブルターニュに帰った。母方のブルターニュと父方のロレーヌの森をつなぐものこそ、ケルト文化である。ブルターニュは、多くの詩人や芸術家に愛されていた。そしてこの地方は、ブルトン人の建てた灯台や干潟やコート・ソバージュ（野生海岸）の風景にあふれた場所であり、ケルティック・パブで有名な地ビールを飲むことができる民俗的トポスである。

ノルマンディもブルターニュも、海につき出た半島である。飯島耕一や後の章でふれるヘミングウェイ（一八九九－一九六一）だけでなく、野性の海岸や島や半島とそれを大きく取り囲む海に強く惹かれる文学者たちがいる。

考えてみれば、僕はこれまでに七編の長編小説を書いたけれど、同じ場所で二つの小説を書いたことはない。引っ越すたびにひとつの小説を書いていたようなものだ。

だからひとつの長編小説は、僕の中で、ひとつのそれ独自の場所と風景を持っているということになる

（村上春樹『使いみちのない風景』）

まず思いつくのは村上春樹だ。ドイツやギリシャの風景を、小説の原風景とする村上春樹は、海および半島や島に惹きよせられた喚起点をもつ作家である。稲越功一の写真

が入った『使いみちのない風景』や、ギリシャの聖なる地を旅する松村映三の写真とコラボする『アトス　神様のリアル・ワールド』を読んだ方もいるだろう。「移動するスピードに現実を追いつかせるな」と書く旅の村上春樹の文章は、逆説的な現代の神話を語る。懐かしいジャズの音感とジョギングより速く走る文体には、独特のスピード感の世界がある。

同じように、島や半島に惹かれる詩人がいる。吉増剛造である。そのテクストは錯綜として難解をきわめ、平易に論ずることを可能性からさえ逸脱させるほどだ。詩人は、言葉によって被写体との格闘をするために、カメラを携えた眼の身体とも共生しながら、アイルランドや沖縄の島と海を歩く。長編詩集『ごろごろ』や『何処にもない木』が、最新詩集『Ｖｏｉｘ（ヴォワ）』とともに書斎の本棚を飾る。彼のことも、後の章でふたたびふれてゆくことにしよう。

多くの作家や詩人、芸術家が直観で感受するように、ノルマンディやブルターニュ地方は、そのケルト的な石の文化に生きる人間の感覚を通して、植物の思想や物質の思想をあらわにしているように思われる。

マルセル・プルーストは、喘息持ちのさまざまな制約のともなう生活空間のなかで、書くことによって文学空間を必死に構築していた。そのとき、彼の身体をかすめる精神が、花や草や樹による植物性への感覚に同化し、砂浜や水や土や空や雲といった、海に包括される物質の原素へと精神を表象した。

パリのホテルの食堂や地下では、高価なシャンパンやワインを自由に痛飲することができた。その一方で花咲き乱れるイリエの地を自由に歩くことは禁じられていた。プルーストにとって、言語を記述することは、物質的言語を生成することであり、聖なる土地への巡礼を内在的に含む行為であった。

――どこへ行く?

――海へ行きたい。

なんとも他愛ないクリシェではないか。とはいえ、いったい人は、結局、海のほかのどこへ行くというのか。行くべきところが、どこかほかにあるか。言葉の河であれ、音の河であれ、生の河であれ、行くものであり、流れるものであれば、それはきっとひそかに海へつづき、海を目指しているのではあるまいか。行き着くべきところはつねに海。〔略〕海はそのときあらゆる聖なるものの手前そして彼方にある〈アルケー=テロス〉である。そしてそれだからこそ、あらゆる〈海に行くこと〉は必然的に巡礼に似るのだ。

（小林康夫「Ⅱ海の真理――言語物質論」『光のオペラ』）

ノルマンディの中心都市はルーアンであり、ブルターニュの第一の都市は、レンヌの街だ。そのふたつの大都市のちょうど境に屹立する城壁教会こそ、海に浮かぶモン・サン＝ミッシェルである。モン・サン＝ミッシェルがユネスコ遺産に登録されるまでは、旅行会社のツアーでさえもそこに行くことは少なかった。

パリからの日帰りツアーは、朝とても早く出発し、ドカンと日が落ちた夜遅くに帰ってくる。電車で行けば片道三時間である。いまは、大手の旅行会社の壁には、どこでもモン・サン・ミッシェルの大きなパネルが掲げられているほどだ。最近のツアーは、パリからの郊外の文脈に、バルザックの生まれたロワール河畔の城を巡るコースに、モン・サン＝ミッシェルを加えている。

モン・サン・ミッシェルじたいは、十年以上もむかし、冬場の途方もなく寒い日だったが、ブルターニュを旅した帰りにディナールからバスに乗って訪れたことがあった。

（堀江敏幸『熊の敷石』）

堀江敏幸の第一エッセイ『郊外へ』から芥川賞を受賞した『熊の敷石』までの作品は、都市と郊外をめぐるひとつのコンテクストをもっている。

モン・サン・ミッシェルはその崖の中央のほぼ真正面に、靄のかかった淡い光を浴びて忽然と浮かびあがっていた。遠浅の水と砂のなかにぽつんとひとつ、チェスの駒のように置かれた僧院の横顔は、目を閉じるなんぞという子ども騙しに乗って半分白けかけた気分を完全に吹き飛ばした。

（同）

ここには、郊外から北の海への憧憬と驚きがある。

3　海のなかの島と教会

雨の降るレンヌに旅装をといた翌朝、目覚めると、窓から見る空一面に厚い雲がひろがっていた。行く先はブルターニュの根っこに位置する島、モン・サン＝ミッシェルである。八世紀以来、幾世代もの修道院、教会が積み重なった島。海に囲まれた奇岩のうえに城址と教会がある。教会の尖塔には、金色に輝く天使ミカエルが聳えている。この地方の気候は、雨と晴れが十分ごとの交互にやってくる。島を取り囲む海は、干満の差が一五メートルもあった。訪れた巡礼者が、押し寄せる波に飲みこまれて命を落とした。

島は潮の干満によって、風景が変化する。周囲九〇〇メートル、高さ一五〇メートルの陸つづきの島は、みるみる海上の修道院に変わる。島の目覚めと眠りが、昼と夜のように交換して、大地と海の姿を表わす。リヒャルト・ワーグナー（一八一三―一八八三）の「さまよえるオランダ人」や「トリスタンとイゾルデ」の旋律を聴きながら、帆を張った船に乗って、荒波のなかに櫓をこいだ。海のなかに半身漬かりながら、波に埋もれた巡礼路を歩いた。人々はこの地の果てに、漁師や羊飼いの姿を追い、干潟や塩分に漬かった草の上を歩いたのだ。やがて大波が干潟を飲みこみ、馬のギャロップのように走り寄せてくる。驚嘆して逃げ惑った人影と動物たちの影。十九世紀になると、陸から島に堤防が築かれ、人々は馬車に乗りこんでやってきた。さらにのちには堤防の上に汽車を走らせた。

シュルレアリスム最後の作家とも呼ばれるマンディアルグ（一九〇九―一九九一）は、ブルターニュ地方の海に浮かぶ城のなかを、怪異な小説の舞台として描いた。

ところが、ブルターニュでもいちばん人気の少ないこの地方は、道がわるく、道路標識さえ満足にないありさまで、すっかり時間を食ってしまい、ために浜辺にきて城へ通じる海岸道路を目の前にした時には、干潮時を四十五分以上も過ぎていた。しばらくためらった後、私は堤防の役目をした、この幅せまい道に自動車を乗り入れた。道の中ほどのところでは、すでに波が堤防の防波壁を掠めていた。城までは二キロあるかなしだったし、城のぼんやりした全体のすがたは、打ち寄せる波に洗われて、まだ明るい空にくっきりと浮かびあがって見えていたので、私はふたたび車のエンジンをかけた。

（マンディアルグ『城の中のイギリス人』澁澤龍彦訳）

モン・サン＝ミッシェルは、イタリアのプーリア州の北部にあるモンテ・サンタンジェロや、フランス南部のオーヴェルニュ地方にあるル・ピュイの山と同じく、大天使ミカエルの信仰が息づく場所である。ル・ピュイからは、スペインの北西端にあるサンチャゴ・デ・コンポステーラまで巡礼路がつづいている。サンチャゴとは、殉教者のヤコブのことである。サンチャゴへの巡礼は、パリ市の中央にあるサン・ジャックの塔から出発する。そうした現代生活と巡礼を描いた映画もあるほどに、巡礼は日常的なのだ。しかし、スペインを訪れるにしても、なかなか簡単に行けるルートではない。詩人の荒川洋治さんが、以前苦労して取材で訪れている。いまでは、隣国ポルトガルのポルトからオプションのツアーで簡単に行けるようになったようである。

出発の地は、八二メートルもあるル・ピュイの岩山だった。ケルト人の山岳信仰の岩場である。そこに、地の霊（ゲニウス・ロキ）がある。キリスト教以前は、ドルイド教の聖地だった。ドルイド教は、木や岩や泉を聖なるものとする自然信仰である。二百六十八段の石段を登ると、天使ミカエルが舞い降りたといわれる礼拝堂に着く。その名を、サン・ミシェル・デギュイユ礼拝堂という。

とある夏の一日、夜明けから真昼にいたるまで、さらに真昼から露に濡れる夕べにいたるまで、彼は堕ちに堕ち、ようやく日が暮れる頃、夕陽とともに中天から真っ逆様に流星さながらに光芒を放ちながら、エーゲ海に浮かぶレムノス島に落ちたという。［略］

（ミルトン『失楽園』第一巻、平井正穂訳）

サタンによって墜落させられた地上において、言い争い、そして悔いているアダムとイヴのもとに、神は天使ミカエルを遣わすのだ。

盲目の詩人ミルトン（一六〇八－一六七四）の書いた『失楽園』を、イギリス文学における最高の叙事詩とする見方がある。イギリスのルネッサンスの文芸運動では、チョーサー（一三四三頃－一四〇〇）を先人とし、ミルトンは最後に位置づけられる。彼は厳格な清教徒だった父から、英国国教会の聖職者になるよう勤勉をしいられた。しかし、ケンブリッジ大学在学中に、聖職者にならずに詩人になろうと決心する。古典やキリスト教やシェイクスピアの影響下にあった若きミルトンは、グランド・ツアーで大陸に赴いた。グランド・ツアーとは、イギリスの支配階級や貴族の子弟たちの、教育の仕上げとしてのヨーロッパへの旅のことである。比較的長期間の大陸旅行だ。十八世紀になると、ポンペイ遺跡の発掘もあり、アルプスを越えてイタリア半島をめざすことが流行となる。ミルトンはパリでは法学者グロティウス（一五八三－一六四五）、ナポリでは文学庇護者だったジョヴァンニ・バプチスタ・マンソ侯爵（一五七〇－一六四五）、フィレンツェではガリレオ・ガリレイ（一五六四－一六四二）に会うことができた。そのとき彼は、将来、アーサー王を中心とした叙事詩を書きたいと念願する、感性豊かな詩人であった。

モン・サン＝ミッシェルを遠方から眺めるレストランで、昼食をとった。名物料理のオムレツには、白ワインがあうと説明を受けた。この地方では、コーヒーに濃いシードルやカルヴァドスを入れて飲む。アルコール中毒者が続出し、一時は林檎の生産も中止された時代があったという。壁には、モン・サン＝ミッシェルを撮った幾葉もの空中写真が掛けられていた。

英国とフランスの百年戦争（一三三九―一四五三）では、聖なる島の教会は堅固な城としても機能した。チョーサーも、百年戦争の第一期の一三五九年から翌年にかけて英国の軍人としてフランスに出征したが、捕虜になっている。その後、戦乱や俗世間の生活をそのまま飲み込んだためか、ヴェネツィアの教会のように、権力闘争の舞台となり風紀が乱れた時代もあった。島はフランス軍の抵抗のシンボルだったが、フランス革命の後になると今度は監獄になった。「モンテ・クリスト伯」で知られる、地中海のマルセイユの沖合いの小島の要塞、イフ城のように。

海上のピラミッドは、海のバスティーユとなっていた。

4　失楽園

天使ミカエルの話に戻ろう。サタン（悪魔）はかつて神に愛された天使であり、ルーシーファー（明けの明星）と呼ばれていた。

神のもとを離れて、地獄の苦しみにいる悪魔は、神に対する嫉妬に似た復讐の念から、アダムとイヴに禁断の実を食べさせる。マサッツィオ（一四〇一－一四二八）が描いた、フィレンツェのサンタ・マリア・デル・カルミネ教会にある原罪による楽園追放の絵である。このとき、神が遣わしたのが天使ミカエルだった。ミカエルとは「神の如き（者）」の意味である。聖書では天使は九階級に分けられるが、第八階級に位置付けられたのが、四大元素になぞらえられもする四大天使のミカエル、ガブリエル、ウリエル、ラファエルである。天使こそ、天国で神に奉仕し、神意を人間に伝えるAngelという名の使者であった。ミカエルは旧約聖書では武勇に優れ、正義を遂行する存在で、アダムとイヴを追放する役目を負い、悪魔（サタン、竜）と戦うイスラエルの民の守護天使である。堕天使たちはこの天使の長を恐れた。やがて新約の時代になると、イエス・キリストが生まれ、磔刑に処される。グリューネヴァルト（一四七〇？－一五二八）やヴェネツィアのティントレット（一五一八－一五九四）の絵でそのイメージは誰もが共有している。イエスはこれらの罪を償わんと復活を果たす。バッハ（一六八五－一七五〇）のマタイ受難曲やヨハネ受難曲のアリアが、かそけき楽音を奏でている。十九世紀当時忘れられていたこれらの音楽を再発見したのは、ユダヤ系のメンデルスゾーン（一八〇九－一八四七）だった。

〔略〕ついで、地、水、火、風の重厚な四大元素が、
それぞれの定められた場所へ急遽馳せてゆき、そして
様々な形を与えられて生けるものの如く躍動し、やがて、
円周を描いて回転するにいたり、無数の星となった。

（ミルトン『失楽園』第三巻）

宇宙とは、現実界から遠くはなれた至上の時空である。漢字で言えば宇は空間を、宙は時間をあらわす。アリストテレスは、この宇宙を、不可変的なアイテール（エーテル）からなる天上界と、地・水・火・風の四元素からなる生成消滅を繰り返す地上界とに区分した。

哲学者バシュラール（一八八四―一九六二）は、科学と詩とが婚姻を果たすための、物質的想像力を思念した。四大元素と詩（言葉）における物質と精神の有機的全体を、生涯を通じて論じている。例えば、『空と夢　運動の想像力にかんする試論』（宇佐見英治訳）の「想像的墜落」の節では、ミルトンの言及と作家ポー（一八〇九―一八四九）の作品とがアナロジカルに論ぜられている。

地動説を唱えたのは、イタリアのガリレイであった。彼に会ったミルトンが『失楽園』に描いた宇宙像は、物質と精神の有機的全体として、『ユリイカ　散文詩　物質的

ならびに精神的宇宙についての論考』があるポーの散文詩との同一性が感じられる。ユリイカというギリシャ語は、「原理」を発見したときに叫んだアルキメデスの言葉だ。「「宇宙」とは、その拡がりの範囲内に存在すると想像し得る、精神的物質的の如何を問わずすべてのものを包括している空間のこの上ない拡がりの意味である」と、ポーは、直観によって、精神が独自の印象を受け入れて知覚する物理的、形而上学的、数学的な宇宙との通観を考えた。この通観こそ、「ユリイカ」であり、ハンガリーの神学者ケレーニイ（一八九七―一九七三）のいう「観（テオリア）」である。

このような天上界と地上界の神話的意味からすれば、日本の最初の歴史書であり文学書である『古事記』の「上つ巻」には、この世の生成とともに生じた天上国家である高天原と地上国家の大八島国への垂直的な移行が語られていると言える。神話の原型の共通性が、苦境のアレゴリーとして共時的に発現して現代社会を照らしているのだ。

昼食を終えると、バスで島の近くまで行くことになった。すでに駐車場は、横付けにされた自動車やバスで埋め尽くされている。ふつう観光客は、城壁に囲まれた、大砲のある王の城門から入り、グランド・リューといわれる、商店やレストランやホテルのある島の最も繁華な通りを登っていくのだが、今回は混雑が予想されるので迂回し、左手のファニの城壁といわれた軍事要塞まで歩いた。ガブリエル塔を右に回るようにして、直接聖堂をめざしたのだ。

七〇八年に、対岸にあるラブランシュの聖オベール司教が聖ミカエルの夢を見て以来、ここに小聖堂が建てられた。道を上り詰めると、ベネディクト派修道会のノートル・ダム・スー・テール聖堂が、パリのシテ島にあるノートル・ダム聖堂を模して建てられている。教会の建築は、時代と時間を刻印している。多くのヨーロッパの教会では、ロマネスクの教会の上に、ゴシック様式の礼拝堂が建てられている。この地下には、ロマネスクの聖堂が古層となって埋もれていた。祈りだけではなく、スクリプトリアムと呼ばれる写本室では聖オベールに関する絵や写本の制作が盛んになされた。パリ近郊のシャンティイ城には、幾冊かの時禱書がある。十五世紀に作られた『ベリー公のいとも豪華なる時禱書』の最後に出てくるのは、モン・サン＝ミッシェルの島の上での「聖ミカエルとドラゴンの戦い」の絵だ。

ミルトンといえば記しておきたい名前がある。文芸評論家の磯田光一（一九三一―一九八七）だ。磯田は結核を患い、昭和二十五年から五年間大学を休学していた。当初、英文科に在籍していたが、休学のあいだに、イギリスロマン派の詩人を研究することになる。そのときに影響を受けたのが、後にミルトンの『失楽園』の翻訳で知られる平井正穂（一九一一―二〇〇五）であった。

話をもとに戻そう。本国で宗教的、政治的危機が起こり、急いで帰国したミルトンは時事問題に健筆を振るう。中世の紳士は教養として、ラテン語と聖書に通じていた。彼の宗教や家庭問題に対する自由論と政治的な論説は、やがてクロムウェル（一五九九―一六五八）の共和政府の招聘を受けることにつながった。ラテン語を駆使した外国語秘書官として、彼は清教徒革命のまっただなかに身を投じる。しかしその疲労のために、青年の頃から弱かった視力を失ったのだ。

［略］それから、天軍の指揮者であるミカエルよ、
汝も征くのだ！　武勇においてミカエルに次ぐガブリエルよ、
汝も共に征くのだ！　汝ら二人は、わたしの
天下無敵の子等を率いて戦場へ赴いてもらいたい、――
そうだ、隊伍を整えて出陣を待っている幾千、幾万という
わたしの武装凜々しき天使の軍勢を引きつれて出かけて
もらいたい。［略］

（同、第六巻）

修道院の教会の内陣から外にむけてドアを開け放てば、そこは空と海ばかりが見渡せ

る展望台だ。遠く、海のむこうの陸地から、三本の川が流れ込んでいる。潮の干満に洗われるブルターニュとノルマンディ。

中世の修道士たちは、ここからどんな思いで入江を眺めたのだろうか。百年戦争の末期、島はイギリス軍に包囲されていた。船団による海路が確保されていたので、かろうじて海から食料と物資が運ばれた。いまや孤島は、教会としてではなく、抵抗の城砦としてフランス軍が死守する唯一の島であった。

コンポステーラへの巡礼の起点、オーヴェルニュ地方に建つル・ピュイ大聖堂は、当初はケルトの人々が神聖視する岩場であった。現在はキリスト教の聖地になっている。ボース平原の麦畑のなかにすっくと立ち、ウール川を見下ろす青い屋根のシャルトル大聖堂も、同じくケルトの聖地の上にキリスト教の教会が建てられた。モン・サン＝ミッシェルの島も、ケルト人の信仰に息づく入江を望む海のなかの岩場からキリスト教の聖地となった。ケルト文化研究は次々と進められているが、ケルト人は月をあがめることなどから、日本人の心性や民俗的文化とも、非常な共通性があるといわれている。

教会の高みからしばらく遠方を望んでいた。ブルターニュのゆるやかな入江とそれにつづく運河がなお見えている。

ブルターニュとは、フランスのブルターニュ地方を示すが、広義にはウェールズ、コーンウォール、アイルランドを含むケルト語文化圏の総称でもあった。ここにも、ワーグナーの「トリスタンとイゾルデ」の楽曲が共時的に鳴り響いている。広域な文化混在のトポスである。

〔略〕ただ、
ミカエルの剣は神の武器庫から賜ったものだけに、さすがに鍛えぬかれており、その刃にはどんなに鋭い剣も硬い剣も刃向かうことはできなかった。一挙に屠り去ろうと、真向から激しい勢いでふりおろされたその剣を、サタンの剣ははっしと受け止めたが、その次の瞬間、真っ二つに切断されてしまった。それどころか、ミカエルは目にもとまらぬ速さで己の剣を後方に孤を描いてふりかぶり、再びサタン目がけてふりおろすと、今度は彼の右の脇腹を深く抉った。この時、サタンは初めて苦痛を知り、身を捩って転々ところげ廻った。〔略〕
（同）

十三世紀になると、天使ミカエルのお告げがあって建てられたモン・サン＝ミッシェルの礼拝堂の隣に、「ラ・メルヴェイユ」というゴシック建築が加わる。上部に、庭園をもつ回廊ができる。修道士たちは、瞑想しながらそのなかを歩いた。彼らは時折、はるかかなたに見える海の変化に宇宙の神秘を感じた。荒々しい自然に人生のアナロジーを感じながら。

「だから海のもたらす慰藉が絶対的であるのは、われわれの不満足を満たすからではなく、逆に、その不満足がわれわれの魂、つまりわれわれの物質的な魂にとっての避けがたい運命であり、本質であることを明らかにするからなのだ。つまり、それは魂の運命と事物のそれとが同じものであることをわれわれに明示するからなのだ」（「II 海の真理――言語物質論」『光のオペラ』）と、小林康夫は書いている。

大天使ミカエルの言葉は、中世の時代からのキィ・ノートである。ルーアンで訪れたジャンヌ・ダルクの闘いの物語の発端にも、聖ミカエルが出現した。救国の少女ジャンヌ・ダルクは、ローヌ川河岸近くにあるドンレミの村で聖ミカエルのお告げを聞いた。「天使は、あたかも全身これ心臓であり、頭脳であり、眼であり、耳であり、知性であり、感覚であるかの如くに生きており、自由自在、その思うとおりの体躯を自ら具え、また好むがままに、密であれ疎であれ、いかなるいろであれ、いかなる形であれ、大きさであれ、具えることができるのだ」。大天使ミカエルの声によって、オルレアンの少女は生まれたのである。

ジャンヌ・ダルクの宗教裁判にも、魔女としての嫌疑による火刑にも、ミカエルという大天使の存在と文脈があった。あたかもそれは言霊のように、言葉と行為、言葉と政治が一体となっていたのだ。

百年戦争の終わり頃、イングランドとブルゴーニュの連合軍によって包囲されていたパリ。そこにあったブルターニュ公国の歴史は、ホイジンガー（一八七二―一九四五）の『中世の秋』が描きだしている。

いま、観光バスが発着するパリのリヴォリー通りのピラミッド広場には、金色の馬上のジャンヌ・ダルク像が立っている。ジャンヌはイギリス軍の銃弾により、この付近で負傷したのだ。モン・サン＝ミッシェルのミカエル像も一八九七年に、ジャンヌ像と同じ作者フレミエ（一八二四―一九一〇）によって制作されている。聖ミカエル像は、高さが四・二メートルの銅像で、ゴシック建築の尖塔上で金メッキの長剣を振りかざしている。像はいずれも、十九世紀のヨーロッパにおける中世の再発見のブームのなかで、制作されたものだ。ミカエルの眼には、ジャンヌ・ダルクの生涯にカトリシスムの深淵を探ったシャルル・ペギー（一八七三―一九一四）の巡礼に思いを馳せながら、それぞれの十字架を携えてシャルトルへとむかうパリの学生たちの行列さえ、遠望できることだろう。

5　中世世界と巡礼

中世ブームといえば、現在、日本では近世、江戸ブームになっているようだ。巡礼のことを思いながら、ここで少し触れて置くことをお許しいただこう。フランスの印象派の画家が好んだ北斎（一七六〇?—一八四九）や広重（一七九七—一八五八）がヨーロッパへと送られてゆくきっかけともなった、仁清（一六四八—一六九〇）に代表される京焼きや、プライス・コレクションで知られる伊藤若冲（一七一六—一八〇〇）、酒井抱一（一七六一—一八二九）や鈴木其一（一七九六—一八五六）の琳派や谷文晁（一七六三—一八四一）などの展覧会はどこもいっぱいになる賑わいである。

モン・サン゠ミッシェルを遠方から眺めながら、徐々に近づいてくる至福に胸を弾ませる思いは、例えば、琵琶湖の竹生島に船で巡礼に訪れた中世人の心のありように等しいかも知れない。竹生島は、琵琶湖の北部に浮かぶ島である。全島が緑樹に覆われた景勝地だ。平家物語には、平家方の義仲征伐に出てくる。後には長浜に居城した秀吉の庇護を受けた。いまでも、近江今津や長浜から島へと観光船が白い航路をたえ間なく引いている。琵琶湖大橋の周辺とはまた趣を異にする近江地方の湖畔である。

大津の花火大会があった日、混雑する湖西線の電車でようやく着いた近江今津から遊覧船に乗って、竹生島を訪れたことがある。入り江の崖の上まで、竹生島神社の参道がつづく。奥には、桃山文化の移築された宝厳寺の観音堂もあった。

ミルトンの話に戻ろう。クロムウェルの失脚と王政復古後、死刑を免れた盲目のミルトンは、失意のなかにあった。かろうじて口述筆記しかできなかったミルトンについて、西脇順三郎（一八九四－一九八二）は「近世英文学史」のなかで「王政復古に際してミルトンは許されて引退した。併しこの晩年こそ彼が青年時代から夢みてゐた不朽の名（Immortalitas）を得た時代であった」と、書いている。盲目の詩人が書く詩的世界には、敵陣営に捕らえられて苦悩する実際の情景が描かれている。

それは、ゲーテ（一七四九－一八三二）が『ファウスト』第二部で、財政に苦慮する皇帝を引き合いに出しながら描いているさまに似ている。ワイマール公国の財務局長を務めたゲーテは財政に詳しかった。ミルトンから百五十年後、イタリアに赴いたゲーテのイタリア紀行もまた、古代の繁栄を伝える遺跡の数々、ルネサンスの偉大な芸術、豊かな自然と温暖な気候にめぐまれたイタリアをめざすグランド・ツアーの象徴的な旅だった。

ミルトンが亡くなったのは『失楽園』の完成後、まもなくのことである。

ダフネの花が咲き

光る河岸を
林檎とサーベルをもつた天使のわきを過ぎ
金髪の少年が走る
アカハラといふ魚を
その乳光の眼の上を
指の間でしつかりつかみながら
黄金の夢は曲がる

（西脇順三郎『*Ambarvalia*』）

西脇順三郎は英国の留学中に、一度パリを訪れている。

そのときノルマンディやブルターニュを訪れたという記述はないが、研究テーマは古代、中世の英語・英文学であった。後のチョーサーの『カンタベリ物語』の翻訳に見るように、彼には人文主義的な教養があった。中世期のヨーロッパ文学に取りくむなら、英仏バイリンガルの文学世界に通じていなければならない。役人づとめをするチョーサーも、ミルトンと同じように、大学や大陸の知識人との交遊をもった国際人である。西脇順三郎の初期の詩の特徴には、中世英語の研究家としての翻訳詩も含まれたが、比較的短い詩にはカタカナも多用されている。「林檎」と「サーベルをもった天使」の詩には、ノルマンディやブルターニュの風景と大天使ミカエルのアレゴリー（寓意）が、ミルトンの「失楽園」と関わりながら言語の層から描かれているようだ。

ヨーロッパの旅行では、訪れた教会のどこでも蠟燭に火を灯しては、内部を散策した。そこにある聖なるものは、あこがれのヨーロッパと等価である。聖書や讃美歌によってキリスト教を身近に感ずる人もいるだろう。私にとってそれは、訪れたヨーロッパの街の教会と蠟燭そのものの存在と実感であった。

ヨーロッパ近代は、大きく過去の歴史を飲み込んでいる。ふとした街のしぐさや風景のなかに、その土地の中世や古代の層が覗いている。聖なるものと出会うことで、旅人の精神は感化される。人々は聖なるもののなかに見えてくる有や無への旅路に、人生のアイデンティティを求めようとしていた。有と無は至高性のもとでひとつである。富士山に登るのにも、御殿場からと山梨からでは、ずいぶん違うように思えるが、聖なるものとの出会いにおいては、同じ歩くことの精神史へと接近してゆくように。

話はふたたび逸れるようだが江戸時代、藤沢市の江ノ島は、湘南の観光の要地だった。かつては大山詣での後、観光と称して人々はこの江ノ島に足を伸ばした。鎌倉に寄るついでに江ノ島に詣でては観光に遊んだ。この土地を訪れるたびに、江戸時代の巡礼と旅人が思い出される。葛飾北斎の「富嶽三十六景」に、「相州江ノ島」の一枚がある。右手に富士が見え、一艘の船が帆を下ろしている。左手に江ノ島の寺があり、人々が海のなかの道を歩いて、寺町の石灯籠から階段へとむかっている。対岸の片瀬とは、砂洲でつながっている。いまは入り口から小船が出ており、観光客は小船で富士や大山を見ながら、正面ではなく裏手の岩場まで海を廻って巡回できる。

琵琶湖の竹生島も江ノ島も弁才天を奉った。日本三弁天とは江ノ島、竹生島、安芸の厳島のことである。

弁才は、本来は『リグ・ヴェーダ』に出てくる古代インドの豊饒の女神である。河川の神、水の女神として、「サラスヴァティー」と訳された女神は、後に言葉の神となり、学問・芸術の守護神となった。特に、歌人や詩人に尊崇された。琵琶を弾く天女となれば、七福神のひとりである。こんなところにも、古今東西の巡礼は、水や海とかかわりがある神話に循環するように表徴される。

音楽通の内では、四十歳になると、誰がブラームスに心酔し、誰がワーグナーのファンになるだろうかと噂しあうらしい。「タンホイザー」の誕生によって、熱烈な礼賛を寄せた詩人ボードレールのように、ワグネリアンが発生した。ロマン派三部作である「さまよえるオランダ人」「タンホイザー」「トリスタンとイゾルデ」は、荒々しい海のなかに語られる物語である。「タンホイザー」の劇中歌、巡礼の歌こそ、モン・サン＝ミッシェルへと海を歩いて行く巡礼人の声ではなかっただろうか。

ワーグナーも題材を取ったケルトの古い伝承にアーサー王伝説がある。この伝説に、英米文学の江藤淳（一九三二―一九九九）は、『漱石とアーサー王傳説』を書き、フランス文学の天沢退二郎（一九三六―二〇二三）は、『聖杯の探索　中世フランス語散文物語』を翻訳して、関心を寄せた。英文学は、フランス文学の影響に負うところが多かったということができるのかもしれない。

ワーグナーは、ボヘミアでの休暇中、ドイツのグリムだけでなく、ヨーロッパの伝説や民話を読んだ。「トリスタンとイゾルデ」も「パルジファル」もこうしたなかから生まれたのである。自らもトリスタンとイゾルデの秘酒を飲むようにして、実人生ではマティルデとの深い関係による苦しい愛の破局から、ケルト民族の憂愁とフランス的優雅さとが混合した「愛」の物語を奏でた。ヨーロッパの聖杯物語とトリスタンとイゾルデの愛の物語が、英仏のはざまで融合した。作品は、ヴェネツィアの海とティツィアーノの「聖母被昇天図」からインスピレーションを得て書き継がれた。完成したのはスイスのルツェルンの山麓にある湖の湖畔だった。歴史的失敗といわれたパリ初演だったが、このときボードレール、マラルメ、プルーストらの心を捉えたのだ。

海には風が立って、帆は風を一ぱいはらんだ。船は押されて陸に着いた。黄金の髪のイズーはいち早く陸に上った。彼女は道々に歎く人々のこえを聞き、寺院や、僧院からうち鳴らされる鐘の音を聞いた。この鐘の音はなにごとぞ、あの哀悼はなにゆえぞ、彼女は土地の人にたずねた。

するとー人の老人が、

「お妃さま、一大不幸がございます。氣高い、勇士のトリスタンさまが、たったいま歿くなりました。あの方は貧しい人々にはものをふるまい、苦しむものはお助けになりました。このような大きな損失は、いまだこの國に起ったことはござりませぬ。」

これをきくとイズーは一言もいえなかった。彼女は城のほうに登って行った。街の間を、頭巾を脱いで、駈けつけた。ブルターニュの人々は彼女の姿を見て驚いた。このような美しい女人をかつて見たことがないからである。

（ベディエ編『トリスタン・イズー物語』佐藤輝夫訳）

ベディエ（一八六四–一九三八）はフランスの中世文学研究者である。ベルールやトマによって多くの断片として残されていた韻文詩を、ひとつの「トリスタン物語」の散文にまとめた。

フランスの叙事詩はトゥールの道やリモージュの道、そしてル・ピュイの道やトゥールーズの道などの古寺巡礼路に即して、発生した。西脇順三郎は「文学的作品では所謂中世のロマンスとして恋愛物語が流行して来た。特に罪悪として恋愛の物語が起り、一つの新しい悲劇的精神をみるに至ったのである。それはトリスタンの物語が代表的なものである」（『古代文学序説』）と論じ、「しかしケルト民族に関しては、フランスで発達した騎士物語の大部分はケルト人の英雄の話として物語られている。即ちアーサー王を中心とする騎士物語である」（「中世の叙事詩と物語」）と書いている。

修道院を後にして、西むきの露台でしばしの休みをとる。帰りは、緑のツタがからみつく城壁の道を通り、モン・サン＝ミシェルを半周するようにして、街に降りた。途中、緑の梢越しの眼下に、聖オベール聖堂が遠望できた。

表参道のグラン・リューは、江ノ島のようなお土産屋やカフェやレストランや宿舎が並ぶ道である。本来であれば、ここに宿泊して、島の風景にもう少しふれるのがよいのだろうが、旅行者は、ヴェネツィアと同じように、本島から離れたヴェネト州の土地に宿泊せざるをえないこともある。

中世紀の巡礼は主として俗人の聖地巡礼、聖者参詣者の巡礼であったが、中には宗教的な人は奇蹟を聞かんとして世をめぐり歩く者もあった。〔略〕キリスト教では信心のために苦行する。それも苦しみを代償として神の愛を求めるのである。その苦行のために海へ放浪者として放浪の旅に出るのであった。

（西脇順三郎「放浪人」『古代文学序説』）

巡礼とは何か。巡礼は、孤独な生老病死をかかえた存在体系と言語活動を基盤とする人間存在を、聖なるものと大地（宇宙）とにつなげる。六〇代半ばになって、二度目のパリを体験した島崎藤村（一八七二―一九四三）は、その紀行記を「巡礼」と名づけた。一度目のパリ滞在では、藤村は内なる巡礼書と言うべき『新生』を書いている。シャルトルへの巡礼やサンチャゴへの巡礼姿は、熊野巡礼や弘法大師との同行ふたりの姿と似てはいないだろうか。歩きながら脳裏に古の旅を現象させる。それが復活の新しさとつながるのだ。

人々はパリやヴェズレーから、あるいはル・ピュイやアルルから杖を付き、帆立貝の目印をつけ、生死を徒して巡礼地サンチャゴ・デ・コンポステーラへと出発した。巡礼者の持つ杖は希望であり、帆立貝は平和の象徴であった。ロンドンへむかう巡礼の終着地カンタベリー大聖堂には、聖トマス（一一一八―一一七〇）が祭られている。国王ヘンリー二世（一一三三―一一八九）との確執の末に暗殺され、カンタベリー詣での熱狂を招いた人物だ。

パリの若き学生たちは、存在の問いを自らに投げかけながら、ボース平原のシャルトル大聖堂に徒歩で巡礼する。シャルトルには、聖遺物の「聖母マリアの聖衣」があった。さらにローマやパレスチナの聖地へと、一生のうちに一度は、と巡礼に出かけたのである。作家パウロ・コエーリョ（一九四七―）も、現代の精神世界を求めて、ピレネー山脈から「星の野原」サンチャゴへとスペインの巡礼に赴く。

巡礼のイマージュには、元素としての水と海がある。

ノルマン人もケルト人も、海を放浪する民であった。ケルト人は森のなかに、安息の地を願った。しかし、そのためには海を越えて出かけなければならなかった。この地方は、一〇六六年のノルマン・コンクェスト以来、英仏両国にまたがるバイリンガルの土地であり、宮廷に多くの吟遊詩人であるトルヴァドールが出入りした。チョーサー以前にあっては、詩文に関わることは多く僧侶、学僧、楽人によって、担われていたのだ。

時は四月。

夕立ちがやわらかにやってきて、三月ひでりの根本までしみとおってしまう。そのおしめりの精気で花が生まれて咲いてくる。

そよ風もまた、香ばしい息を吹いて、どこの山林地にも荒野にも、柔かい新芽が枝にふいてきた。

まだ若い太陽も、春分からめぐり出して、白羊宮を半分以上もめぐってきた四月の初旬。

ナイチンゲールという小鳥は、夜中もおちおち眠らないで、美しい節回しで鳴いている。

それほどまでに、自然の力というものは、小鳥の心でさえも、やるせなく突くものか。

こんな季節になると、人々は霊廟の巡礼にあこがれて、遠い諸国の国々へ旅立つのだ。

パレスチナの聖地巡礼をする人は、海を越えて、外国へとあこがれる。

とくにイギリスでは、どの州のはてからも、カンタベリの巡礼を思いたち、病気をいやしてくだされた、聖トマスの参詣に出かけるのだ。

（チョーサー「ぷろろぐ」『カンタベリ物語』西脇順三郎訳）


私たちの時間の旅程も、いつか死の場所を求めなければならない。あるいはそこにいたるためにたどるべきルートの確認であるかも知れない。それは、海への巡礼の道である。私たちは、中世的世界がかもし出しているプロセスと道程のなかに、現代社会とつながった見るものや食べるものを、ひとつひとつの感慨深さのなかに反芻することのできる時間を生きている。

2　迷路と海　志賀直哉、エズラ・パウンド、飯島耕一

1　真鶴半島

中川一政（一八九三―一九九一）、九十七歳の書がある。

独特の筆跡による絵画性と選択された意味をもつ、「正念場」という書字である。「うまいまずいはどうでもいいのである」という中川一政がこれに託したものは、老いのなかでの身体と精神の踏ん張りについてであろうか。

学生の頃、後輩の車に乗って、真鶴半島を訪れたことがある。岩場に腰を下ろして、青い空と海と、白い雲を眺めていた。遠い海を見つめている姿に、後輩たちは不思議そうな表情を浮かべるばかりだった。その眺望の記憶は、いまだ仕事の意味も知らなかっ

た遠い過去の時間につながっている。眼前には、原初の色と形が現象学的に還元され、プリミティヴな波濤の相をなして存在していた。

岬の上には、中川一政美術館がある。福浦の町では、海岸や魚の絵を描いた画家の面影が、いまも消えていない。右手にカンヴァスを抱え、肩から絵の具箱を下げて、海岸の先端にある灯台へと歩いていく。

海といえば、最近観た映画『シルヴィア』の映像である。渋谷文化村にある映画館は客層を中高年に絞った品揃えをしているためコアなファンがいるものの、平日の夜ともあって、入場者はそれほど多くはなかった。スクリーンに映し出されたボートに乗ったふたりの詩人の姿が、記憶に残っている。

イギリスのふたりの詩人にまつわる物語が、現代の神話となる。詩人はテッド・ヒューズ（一九三〇－一九九八）とシルヴィア・プラス（一九三二－一九六三）だ。英国の風景や時代の衣装を配置したこの映画のプロットは、創作の裏側にある詩人の生身の生活と、詩に捧げた生そのものにかかわっていた。映画では、ケンブリッジやボストンの古きよき時代を盛り込み、シルヴィア役には、グウィネス・パルトロウという人気女優が当てられていた。映画のなかでひときわ印象に残った映像がある。ふたりが海の波間にボートを浮かべているシーンである。ここでは、「海」が効果を上げている。

「君が死んで十年立つのだ。単なる物語に過ぎない。君の物語。僕の物語。」と惹句にあった。ふたりの物語に潜む悲劇を、どのように解釈したらよいのだろうか。それは詩人の恋というような、単に男と女の双極性に還元して終わるものではない。言葉の芸術にかかわることは、詩を書くこととは何かという問題に帰着する。神の使いである言葉の芸術のために、ふたりは結婚した。「あの日太陽系は僕たちが知ろうと知るまいと僕たちを結婚させた。」よりよく生活することより、よりよく詩に奉仕するために結婚したのである。

はたして、詩を書くためのふたりの協力とは、どのような道だったのだろうか。詩人テッド・ヒューズの存在は、シルヴィア・プラスとの関係を抜きにしては語りえない。むしろ、シルヴィア・プラスの存在があってこそ、テッド・ヒューズは詩人として、世にでる幸運をつかんだのである。「それは生活の場だった。」ふたりはまことによき同伴者だったのだが、その個性は、互いが安心できる共生者としての同伴者でありえたのかどうか。ヒューズのはなばなしさの奥に隠されたシルヴィアの猜疑心は、詩の環境に刺激を与えはするものの、ふたりの関係に平安をもたらしはしなかった。

シルヴィアはボストンに生まれ、海辺で育った。ヒューズはヨークシャーの山地の谷間に生まれた。彼はシルヴィアがもたらすアメリカや海のエートスを吸収するかのように、海から根源的生命力を得、原初的なエネルギーを解放した。海こそ、破壊と再生の神話を生きている。その海とは、ケルト神話の息づくコーンウォール半島の海岸である。

言葉の芸術を生成する詩人は、「正念場」を迎えている。しかし、世紀末や終末論の流行する不穏な時代になればなるほど、詩人の想像力は地上を這い、空をも走る。言語の生成という不思議な力学によって創作に献身できるのが詩人である。沈黙する言語。テッド・ヒューズは癌を病んでいた。シルヴィアの死後、亡くなる直前に長い沈黙から解き放たれたとき、彼は長大な詩集を出版する。詩集『誕生日の手紙』（野仲美弥子訳）は、ひとりの桂冠詩人が「正念場」を生きた記念碑である。

小田原を過ぎると、根府川のあたりで、海が視界に入る。まもなく海岸線に沿って、真鶴道路が見えてくる。真鶴の駅から傾斜する家並みを抜けるようにして、バスが坂道を下りていく。真鶴港に着くと、白い中型のボートに乗って海を遊覧した。真鶴岬をとり囲む海域は深く、晩秋には枯葉とさまざまな虫たちが海のなかに落ちるので、魚の味わいが増すという。

岬を見上げるように首を傾ける。私はその後、三度、真鶴を訪れた。道路下の磯に下りると、岩場に波が白い波濤をくずして打ち寄せては、引いていく。海のむこうの左手には真鶴港が見え、白い漁船が往来していた。その右手には、岩大橋が見える。岩漁港の前ノ浜から、石橋山の合戦に敗れた源頼朝が船で脱出した。さらに右手に視線を動かすと、小田原の街が海辺にはりつくようにあり、小さく大山がそびえ立っている。

中川一政美術館をはじめて訪ねたのは、仕事で生活が窮窮としていた頃だった。ふもとの料理屋「うに清」に寄り、海辺に寄せる白い波を見たり、飛びくるうみねこを眺めたりした。

中川一政が真鶴町に画室をもったのは、五十六歳のときである。福浦の地元の漁師たちは、通りすがりにこの中年男性の絵を見ては「おじさん、絵がだんだんあがってきたね」と声をかけた。

晩年、中川一政は、芦ノ湖を見下ろす駒ケ岳を描きつづけることで、巡礼に似た歩行の「正念場」の精神そのものを描いている。小林秀雄は自宅の机の上に、黄色いマジョルカ焼きの壷に朝顔を挿した、中川一政の絵を掛けていた。腰痛で銀座の展覧会に出てこれない画家の「駒ケ岳」の絵に、とても活力を感じた。「正念場」という「九十七翁」のサインのある書にこそ、中川一政の生きる魂があった。

もし志賀直哉（一八八三―一九七一）が生きていたならば、あるいは、中川一政や、彼が影響を受けた富岡鉄斎（一八三七―一九二四）が存命であったならば、この時代をどのように生き、どのように書いただろうか。

彼らは、まことに人生の長距離走者だった。

2　志賀直哉のライフスタイル

京都の嵯峨野を歩いていると、立ち寄った茶店に雑誌「サライ」が置いてあった。そこには志賀直哉のライフスタイルが特集されていた。その後、『暗夜行路・写真譜』という大竹新助の編集した写真集を手に入れた。写真家は編集後記に書いている。志賀直哉は、いったい何年ぐらいのあいだに、どれだけのところを歩いたのだろうかと。

むかしのひとはよく歩いたが、それは安藤広重や葛飾北斎のことだけではない。志賀直哉は東京都内や京都・奈良だけではなく、瀬戸内海の尾道、中国地方の伯耆《ほうき》の大山と、まことによく歩いている。

鎌倉駅に降り立った。若宮大路を抜け、滑川を越える。すると、妙本寺がある。鎌倉にはいくつものハイキングコースがある。天園ハイキングコースでは鎌倉の海を一望することができた。鎌倉アルプスを降りていくと、終点は建長寺だ。妙本寺には、比企一族の墓碑がある。この寺の裏にも、祇園山ハイキングコースがあった。山のコースの上から降りてくると、寺の裏側から本堂前の庭に出る。「鎌倉比企ヶ谷妙本寺境内に、海棠《かいどう》の名木があった」。中原中也（一九〇七–一九三七）と小林秀雄の海棠の話は「中原中也の思い出」にある。「詩人を理解するという事は、詩ではなく、生れ乍らの詩人の肉体を理解するという事は、何んと辛い想いだろう」。八幡宮で中也とビールを飲んだ小林秀雄は、そう回想している。

鎌倉に居を移した田村隆一（一九二三―一九九八）の晩年に、『狐の手袋』という詩集がある。そこには、「中原中也の思い出」の一節も引用されている。「肉体」の部位をテーマとする詩の連作による詩集である。「身体」の部位をテーマとするといったほうがよいかもしれない。田村隆一の詩の精神史とは、意識が文明をよぎって身体へと詩の深まりを探求させたことである。田村隆一の詩は、世紀末の同時代詩として書かれた。

昨年の夏、田村隆一の七回忌が妙本寺の本堂で催された。六年前の詩人の通夜は、夏の嵐の夜で豪雨だった。通夜では、何人かの詩人たちが、グループになって話し込んでいた。そのなかの何人が、今夕の七回忌に来たのだろうか。記憶がとても曖昧だが、その数は少なかった。妙本寺の奥にある細い道を登ると、左手に「１９９９」という銘の墓碑がある。最後の詩集名を刻んだ、夫人の尽力による個人墓である。写真家の荒木経惟がしきりに小型のカメラのシャッターを押していた。

「詩」という物のおかげで　なんとか生きてきた
人に生の歓びも悲しみもあたえなかったくせに

ぼくは枯草の細い道をひきかえす

（田村隆一「油」『1999』）

詩人の身体が文明と文化に相わたりながら格闘する、そこに言葉（詩的言語）の集積体がある。言葉の波動は、響きをなして文節化され、身体の一部として言語をつむぎ、つらねられた言葉の発話を実現した詩的言語の束となる。

数年前、新川和江と甲斐清子のコラボレーションによる、詩画集『人体詩抄』という大判の本が出版された。

詩画集のモチーフは、田村隆一の晩年の詩集が語る、身体を媒介にした宇宙の気づきと同じものだ。もちろん、甲斐清子の人物デッサンが木炭によるリアリズムの新たな可能性を探求しており、それが新川和江の詩と同調しつつ、人間の内部と外部を包括した宇宙の実存をよく表現している。新川和江のこれらの身体性に関する詩が創作されたのは、七〇年代に遡る。今までの詩は『新川和江全詩集』にまとめられている。

詩人たちは、身体の存在への気づきによって、それぞれに詩の生成とかかわる場所を発見する。存在の原点に言葉が下りてくる。身体と生理が言葉の相によって分節され、詩の言葉に集約している。作家の五感が認識した記憶が、身体の内奥にしまいこまれた後、表象として想起される。身体の奥にたたみこまれた思い出は、無意識に分節された風景となって感得されたものである。土地と観念がひとつの場所論的地勢となった身体を通過して、そこにある言語の座から表現となった。身体の奥底にある無記の精神は、心理的な光景を形として表現するときに、表象としての言葉（シニフィアン）の表現となる。意味（シニフィエ）は、後からやってくる意味作用の認識の体系によるものだ。

身体は運動の座であり、生理の座である。五感の座である身体こそ、言語の座なのだ。こうした身体性の視点から、詩の気づきを探ることができる。引用は、プレテクストとしての詩を新たなテクストの詩にかえる。時代や風土や環境や社会状況は、他者である。その他者によって、詩は影響を受けながらも、自らの精神史の発展や円環となって、詩の制作に大きな影を与えるだろう。詩人は多く、詩人としての身体を通した気づきによって、詩を書いてきた。

鎌倉の海岸を江ノ島から材木座まで歩いた。普通の速さで、歌うように歩く。

終点は光明寺の山門である。その山門に登ったことがある。楼上には、釈迦三尊像を取り囲むように、四天王像と十六羅漢像が安置されていた。外を眺めれば、材木座海岸から由比ヶ浜、その彼方には、江ノ島と富士を一望できる。海は太陽の光を浴びていた。何艘かのヨットの帆の赤や黄色や青の色彩がまことにあざやかだった。田村隆一が最初に鎌倉に移り住んだのは、この材木座である。私が初めて江ノ電の窓から青い海のうねる波の重なりを見たのは、台風の去った日だった。

ヴェネツィアにあるアカデミア美術館は、急に閉鎖されることがあるので、旅行者は、貴重な絵画を見る事がなかなかできないらしい。ここには、コロリストといわれるヴェネツィア派の作品が多く収蔵されている。ジョルジョーネ（一四七七―一五一〇）、ティントレット、ヴェロネーゼ（一五二八―一五八八）、ティツィアーノ（一四九〇頃―一五七六）……。ティツィアーノの作品では、最後の未完の「ピエタ」がある。

「夜のなかをゆっくりとすすむ船は、無意識のうちを流れていく筋道立った想念に似ている。両脇には、黒々とした膝まで水びたしになった櫃《ひつ》のような館《パラッツォ》が立っている」（『ヴェネツィア「水の迷宮の夢」WATERMARK』）。ユダヤ系の詩人ヨシフ・ブロツキー（一九四〇―一九九六）は、レニングラードに生まれ、幼年時代にはバルト海の近くで過ごしたことがある。テッド・ヒューズと同じく、さまざまな職につきながら、文学的教養を身につけた。「徒食者」として強制労働を経験した後に、国外追放されアメリカに亡命した。そのブロツキーは、毎年のように冬になると、ヴェネツィアを訪れた。彼はかつて、イタリアのトリエステの詩人ウンベルト・サバ（一八八三―一九五七）の詩をロシア語に翻訳したことがある。『ウンベルト・サバ詩集』（翻訳）を出している須賀敦子（一九二九―一九九八）は、夫ペッピーノが亡くなった後、ヴェネツィアとトリエステを訪れた。この街の迷路を、ブロツキーは幾度となくさまよい歩いた。「フォンダメンテ・ヌオーヴェを四分の一マイルほど歩いた。まるでぼくはあの巨大な水彩画の中の、小さな動く点みたいだった。そしてジョヴァンニ・エ・パーオロ病院のところへ出ると、そこで右に曲がった」というように。

旅の疲れで、アカデミア美術館の手前のカフェで倒れた。次の日、そこからまた、普通の速さで歩きつづけようと思った。木造のアカデミア橋の上から、カナル・グランデを行き交う水上バス、ヴァポレットを追うようにして、前景に対面しているサルーテ聖堂と元税関舎が見えた。日常の普通の現実がある。しかし、その現実の背後には、複雑な時間と空間がからみ合っていた。右側の手前には、ペギー・グッゲンハイム美術館が見えている。ヴェネツィア運河は、カナルという。島の中央を逆S字状に走るのがカナル・グランデだ。サンタ・ルチア橋とリアルト橋とアカデミア橋の三本の橋しか架かっていない。河岸のこちら側からむこう側へは、渡し舟やゴンドラやヴァポレットで渡る。ヨーロッパの奇跡といわれた、海に浮かぶ都市の風景である。身体は、いつも無意識の影に隠れていた。歩きがたりないといわれてから、ずいぶん歩いてきたつもりだ。立って歩けるうちが、生のうちという言葉も聞いた。

一度、鎌倉の夏の夜を彩る花火を見ようと、シートを敷いて由比ヶ浜の砂浜に陣取った。あいにく、花火は海風にあおられて、下半分ほどしか見えない。人込みのなかで、立ったり座ったりしながらの花火の祝祭は、昼の光の強さとはうって変わり、湿った夜風の強さとともに、鎌倉の海の冷たさを感ずるのみだった。

3　ヴェネツィア

池澤夏樹は、「心が疲れた人はヴェネツィアに行くのがいい」と、ブロツキーの本の帯に書いた。

そのヴェネツィアでは、旅人は迷路のなかを幾度となく歩かなければならなかった。なれない足取りの歩行ばかりである。むっとくる暑さと旅の疲れのために、市立病院のベッドの上で、半日リンゲルを打たれた。アカデミア美術館の入り口で、貧血のために倒れ、隣にあったカフェに転がり込むと、ふたたびなかで倒れた。そのとき水上救急車で運ばれたのがこの病院だった。救急車はカナル・グランデを横に入り、水しぶきを上げて細い水路を走ると、この大きな病院に入り込んだ。後日、知ったことであるが、ここは詩人エズラ・パウンド（一八八五―一九七二）が亡くなったときに入院した病院だった。

外へ出てくると、左手にサンティ・ジョヴァンニ・エ・パオロ教会が建っていた。歴代のドージェ（元首）が葬られているので、ヴェネツィアにとっては、サン・マルコ寺院の次に重要な教会である。ヴェネツィアの教会では、東のサンティ・ジョヴァンニ・エ・パオロ教会と、西のティツィアーノの「聖母被昇天」で知られるサンタ・マリア・グロリオーサ・デイ・フラーリ教会が、双璧をなしている。天空へ飛翔するマリアを描いた「聖母被昇天」に魅せられたのは、ワーグナーだ。ヴェネツィア旅行でこの絵を見たことが、「ニュルンベルクのマイスタージンガー」台本完成への大きなきっかけになっている。パウンドの墓地は、対岸のサン・ミケーレ島にある。そして、アメリカに客死したブロツキーの墓も、そこにあった。サン・ミケーレとは、聖ミカエルのことである。グランド・ツアーにおもむいた青年たちは、ここで、カナレット（一六九七－一七六八）のヴェネツィアの海や水の祭典のようなゴンドラの絵を買い求めたのだ。

パリのヘミングウェイは、ボクシングをパウンドに教え、『移動祝祭日』に「エズラは、私の知っている作家のうちで、最も寛容な最も私心のない人であった」と書いている。毎年冬にヴェネツィアを訪れるブロツキーは、スーザン・ソンタグ（一九三三－二〇〇四）に誘われてエズラ・パウンドの愛人に会ったことがあるという。一度、新倉俊一（一九三〇－二〇二一）氏に、パウンドの『キャントーズ』の全訳はどこで読めるのですかと聞いたことがある。そのときは、現在では断片の訳しか刊行されていないとのことだった。エズラ・パウンドという存在は、現代の迷路であろうか。新倉俊一訳の『ピサ詩篇』が第七十四篇から第八十四篇まで訳出刊行されたのは最近のことだ。

板橋にあるパブで、講演を終えた山口昌男（一九三一－二〇一三）氏と会食をした。日本近代の再検討ということであれば、戦後が遠のくなかで、岡倉天心（一八六三－一九一三）が今後再考されなければならない。そして、ヨーロッパではエズラ・パウンドである、とつけ加えられたことが思い出される。

もういちどあのジュデッカ運河をみる日がくるだろうか
（パウンド『ピサ詩篇』新倉俊一訳）

ヴェネツィアは、パウンドが十三歳のときに家族とのヨーロッパ旅行で魅了された土地であり、生涯の憧れの土地となっていた。

アメリカを脱出し、家畜運搬船でヨーロッパにむかったパウンドは、ヴェネツィアで船を降りた。マルセル・プルーストは、一九〇〇年にヴェネツィアを旅行している。プルーストにとって、プレ・ラファエロ派を形成したジョン・ラスキン（一八一九－一九〇〇）の存在は、大きなものがあった。そのラスキンは生涯に十一回も、ヴェネツィアに長期の滞在をしている。『ヴェネツィアの石』という建築論が若き日の著作だが、再婚したローズの死去後、ヴェネツィアを訪れたラスキンは、カルパッチョ（一四六五―一五二五）の描いた「聖女ウルスラ」に魅了される。ウルスラは、フランスのブルターニュの王女である。ラスキンの「愛の物語」は、『ヴェネツィアの薔薇』（ロヴリック＆バーリア、富士川義之訳）で読むことができる。

私が一番よく行くのはサンマルコ寺院であった。そこへ行くにはゴンドラに乗らなければならないので、教会は単なる歴史的建築物（モニュマン）というより、春の海を渡る旅の行程の終着点のようにあらわれ、その海とサンマルコ寺院は私にとって目にこそ見えないが生きた全体を形作っているように思われたから、それだけにここへ行くのはいっそう楽しいことだった。

（プルースト「消え去ったアルベルチーヌ」『失われた時を求めて』鈴木道彦訳）

ニーチェもワーグナーも、ヴェネツィアに魅了されている。この土地で、時代は回ってゆく。先に触れたとおり、ワーグナーは、ヴェネツィア滞在によって、「トリスタンとイゾルデ」を書いた。彼が逝去したホテルは、カナル・グランデから見ることができた。ヴェンドラミン宮である。『年表で読む二十世紀思想史』（矢代梓）は、一八八三年のワーグナーとマルクス（一八一八―一八八三）の死ではじまり、一九九五年のドゥルーズ

（一九二五―一九九五）とレヴィナス（一九〇六―一九九五）の死で終わる。
ワーグナーの棺はゴンドラに乗せられると、サンタ・ルチア駅に運ばれ、特別列車を仕立ててバイロイトにむかった。ワーグナーの音楽とともにその青春時代を過ごしたニーチェは、「『ツァラトゥストラ』第一部の終章は、正にリヒアルト・ワーグナーがヴェネツィアで死んだ聖なる時刻に出来上がったのである」と、書いている。ニーチェにとって、南国とはヴェネツィアであり、そこは「アルプスのあちら側」にある海のなかの祝祭日の時空であった。
パウンドの話に戻ろう。彼はその後、第二次大戦の和平のためにアメリカに赴いた。

「君みたいな男がこんなところでなにかやろうという、その気が知れない」

（パウンド『ピサ詩篇』新倉俊一訳）

政治家を父にもつパウンドは、アメリカの農村社会を基盤とする社会を理想としていた。それが、高度に成り立つ矛盾を内包した資本主義社会のアメリカやイギリスを中心とした連合国側ではなく、全体主義のムッソリーニ（一八八三―一九四五）に加担する理由のひとつともなっていた。要人たちとの会合は、うまくはいかなかった。

戦後、孤立しつつ自省するパウンドは書いている。

『春秋』に義戦なし
つまり、自分か相手側かが完全に正しいことも
戦線のどちら側も全く正しいこともありえない
(同)

パウンドの漢字の入った『ピサ詩篇』にはヴェネツィア、ローマ、パリ、マドリッド、ロンドン、ニューヨークの都市が出てくる。パウンドにとって、イタリアのピサの連山は中国山東省の泰山に等しく、生地アメリカのニュー・ハンプシャー州にあるチャコールアの山へと連想されるイマージュを喚起した。

晩年イタリアへの帰国後、エズラ・パウンドが亡くなったのはサンティ・ジョヴァンニ・エ・パオロ教会の隣の病院である。遺体はゴンドラで、フォンダメンテ・ヌオーヴェから対岸にあるサン・ミケーレ島に運ばれた。

サンマルコ広場の朝を体験した西脇順三郎は、「サン・マルコの朝」という画を描いている。小広場から多くのヴァポレットが出ていた。ムラーノ。ブラーノ。トルチェッロと、船の行先を告げる船頭の声が大きく響いていた。原ヴェネツィアであるトルチェッ

ロ島にむかう朝の船は、リド島、ブラーノ島と立ちより、昼近くになって、ようやく終点に辿り着いた。ヘミングウェイが滞在して、魚介料理を堪能したホテルやレストランもある。島には、サンタ・マリア・アッスンタ教会が建てられ、巨大なモザイク画による聖母子像がある。ヘミングウェイのスペイン内戦を舞台にした『誰がために鐘は鳴る』から『老人と海』までの空白の十年間に発表された作品が『河を渡って木立の中へ』である。この作品は、次の『老人と海』に比較すると不評だったが、ヘミングウェイはトルチェッロ島に長期滞在して、ヴェネツィアの石造物と河水、ラグーナから見た島やムラーノ島、寒い朝、店や広場のマーケットや食べ物をストーリーの背景に書き込んだ。

船で遠回りしたためだろうか。教会はシエスタで、なかに入ることはできなかった。モザイクの聖母子像を見ることができなかった名残を惜しみながら、帰りの船に乗りこんだ。船はムラーノ島を横切り、サン・ミケーレ島を左手に見ながら、フォンダメンタ・ヌオーヴェの岸に着く。白い雪がちらほらと道路の上に落ちていた。トルチェッロ島は、フォンダメンタ・ヌオーヴェの岸からのほうがはるかに近かった。残念なことであるが、サン・ミケーレ島にはいくことができなかった。後日、企業で海外生活も経験している知人の夏木元さんから、島にあるエズラ・パウンドの墓碑の写真を送っていただいた。花に囲まれた閑静な墓碑である。

アドリア海に囲まれたヴェネツィアは死と再生の都市である。

なんとも印象的な雑誌サライの表紙のことは先に触れた。愛犬のスピッツに囲まれた、麦藁帽子姿の志賀直哉の熱海時代の写真だ。

志賀直哉も晩年、ヨーロッパを旅行した。昭和二十七年五月、六十九歳のときである。梅原龍三郎（一八八八－一九八六）、柳宗悦（一八八九－一九六一）、濱田庄司（一八九四－一九七八）などと一緒の旅である。イタリアの各都市からパリ、スペイン、ポルトガル、イギリスを回った。ロンドンではバーナード・リーチ（一八八七－一九七九）に会っている。ヴェネツィアには三泊した。ロダンに感動する若き志賀直哉について、自分の眼と肉体に直接響く美を信ずる肉眼の作家であると書いたのは紅野敏郎（一九二二－二〇一〇）である。小林秀雄にとって、志賀直哉の存在は「近代的な知性の混乱とは無縁の、「自然」と直結して統合されている、日本的な意識の直接性」であったと書いたのは吉田熙生（一九三〇－二〇〇五）である。志賀直哉は無駄のない贅沢を生活の基本に据え、本当によいものを長く使っている。大正教養主義の当時、英国風のライフスタイルがお気に入りだった。夏ばて防止に朝からステーキを食べた。筆や硯、万年筆、原稿用紙など気に入ったものだけを側におき、それらはしっかりと使い込まれた。

小林秀雄が今日出海（一九〇三－一九八四）とヨーロッパに出かけたのは、志賀がヨーロッパに旅行した同じ昭和二十七年の十二月の末だった。『ゴッホの手紙』を書き終えたばかりの小林にとって、『近代絵画』はこの旅を通じて準備されたものである。

先の吉田熙生は、若き小林秀雄について「『様々な意匠』における小林の主張は、文学とは肉体化した「言葉」による自意識の表現であり、これと交感する批評もまた同じである、ということに尽きる。小林のこの文学観は、言わば身体論的象徴主義のそれであって、その限りにおいてマルクス主義文学とも新感覚派以来のモダニズム文学とも対置される必然性を含んでいた」と、志賀からの影響の流れについて書いている。

志賀直哉が河出書房新社から『樹下美人』を出版したのは、昭和三十四年の七十六歳のときだ。そこに「イタリヤの美術館巡り」というエッセイが含まれている。志賀直哉や小林秀雄の美術館巡りは、ヨーロッパの主な都市を巡る旅でもあった。まるで、イタリアの海辺を愛したパウンドの『ピサ詩篇』に描かれたいくつもの都市と海の移動を果たすかのように、旅行客が訪れる都市を巡っている。

そこに、志賀直哉から小林秀雄への美術の嗜好の流れがある。二人の前には眼で触れ、身体で観じられるヨーロッパの都市の風景が横たわっていた。

4　ニューヨーク

ヴェネツィアの海が朝や昼間の風景であるならば、ニューヨークのハドソン川はナイトライフの趣のある風景だった。

夜のハドソン川に浮かべた船から見た記憶は、なぜいまでもこれほど確かなのだろう。摩天楼が光り輝き、ジャズを聴きながら、ビールを飲んだ。夜の川風に、女性のスカートのすそやビジネスマンのネクタイが揺れて踊った。

自由の女神を振り仰いだのは、はじめてのツーリストのお決まりのコースだった。ハドソン川下流にあるリバティ島の「自由の女神像」は、アメリカの独立百周年を記念して、フランスのフリーメイソンから贈呈され、完成したものだ。像は台座も含めて九三メートルもある。そのデザインはドラクロワ（一七九八－一八六三）の絵画の「民衆を導く自由の女神」や、設計者バルトルディ（一八三四－一九〇四）の母親がモデルにされた。この設計には、エッフェル塔で知られるエッフェル（一八三二－一九二三）もかかわっている。

ポストモダンの都市ニューヨークのどこの波止場から船に乗ったのか、ほとんど記憶にない。次の日はエンパイア・ステート・ビルの屋上に登り、ブロードウェイでミュージカル「キャッツ」を観た。ユダヤ系やエスニックの人々が目についたが、夜更けの街頭では、猛スピードで走る黄色いキャブばかりが記憶に残る。映画「ワンス・アポン・ア・タイム・イン・アメリカ」や「タクシー・ドライバー」の映像に、表現主義のニューヨークの街の音と匂いを感ずることができたのは旅の後のことだった。この都市は、国家を超える。「故国喪失」について語るエドワード・サイード（一九三五―二〇〇三）は、この都市で亡くなっている。

ニューヨークでもパリでも、日本人街のような小さな一角がある。そうした市民社会の坩堝に建つふたつの巨大なビルの影が脳裏に旋回した。買い求めたポストカードを見ると、国際貿易センタービルは片側のひとつしか建ってはいない。もう一棟はまだ建設中だったのだろう。

ニューヨークが毀れた！
自ら潰れるかたちで崩れおちた！
その脆さが僕らを悲しませる、
あの壮麗な摩天楼の、ささら立った折れ口から
破裂した水道管の水さながら
高く高く噴出し、かぎりも知らず噴出し

澄み切った秋空の高さをめざす
大群衆の
幻が。

（河邨文一郎「ブロード・ウェイ」『ニューヨーク詩集』）

二〇〇一年九月十一日、ニューヨークに異変が起った。同時多発テロである。地球規模での思考の転換がよぎなくされ、この行為から以後の発言はこの事実を無視できない。そのとき、たまたまテレビのニュースを見ていた。画面の巨大なビルに、雲のような煙が上がっている。すると、もう一匹のツバメのような影が、隣のビルにそのまま黒くなって突っ込んだ。

『ニューヨーク詩集』は、河邨文一郎（一九一七－二〇〇四）が、翌年の二月に出した詩集である。

グリニチ・ヴィレジ、一九五九年、まだ若かった僕に
はじめてのヴィレジの師走。そしてそこにはもう二人、
もっと若い日本人が居合わせた、かれらのにとっても
はじめての。……いま、またしても瞼の裏に浮び出る

ねずみ色のあの街角……小川のほとり、せせらぐ
黄昏……ふっと黄水仙のように灯された
飾り窓。

（同「詩人――グリニチ・ヴィレジ・ストーリ・その二」）

ニューヨークをはじめて訪れたのは、西海岸経由の長旅だった。通訳兼案内人は、ポートランド在住で西海岸には詳しいが、ニューヨークははじめてだった。ホテルは、街の北側にある国際会議場でも知られるプラザホテルである。ほとんど案内のない状態で、ニューヨークの街に放り出された小鳥たち……。

「五番街のマリー」をカラオケで歌うときがある。セント・パトリック寺院は、その五番街にあった。ソーホー地区はまことに過密地帯で、あらゆる建物が重層映像化する、危険な迷路のニューヨークであった。イースト川にブルックリン橋とマンハッタン橋が架かっている。「いちご白書」で知られるコロンビア大学の図書館の階段で休憩をした。そこでは鈴木大拙（一八七〇－一九六六）が、ビート詩人たちに大乗仏教の禅を教えていたのだ。さらにパレスチナに生まれ、海路を経てニューヨークに移り住んだサイードも教鞭を執った。大学の門で記念写真を撮ると、午後からはセントラル・パークにあるメトロポリタン美術館のなかを疾走した。ピカソもマティスもあったのだが、多くの作品の

前を首を回して歩き過ぎた記憶しかない。

アメリカへの旅人として、詩人飯島耕一は私たちの先人である。清水茂氏の「同時代」の会合で、飯島耕一の講演があった。「ヘミングウェイについて書いたので、関心があったら読んで欲しい」という短い話である。詩集『アメリカ』への序奏となるものだった。さまざまな場所を歩き、存在した身体が感じ取ったもの。感取したその風景は詩人のなかに潜在し、詩は共時論的統一に分節された言葉となって生成される。

5　ヘミングウェイと飯島耕一

北アメリカの東南端であるフロリダ半島の先端から、点々と飛び石のように島がつづいている。その島を縫うように走るハイウェイが、国道一号線である。

その一番先端にあるのが、キー・ウェストと呼ばれる、ヘミングウェイが愛して住んだ島であった。

行っても行ってもアメリカには辿り着けない夢
十五年前
そんな夢にうなされ

（飯島耕一「アメリカ」『アメリカ』）

アメリカは、いまでも日付変更線の彼方の遠い大陸である。キー・ウェストはさらにその南端の辺境にある。海に囲まれたこの島で、ヘミングウェイは長篇『武器よさらば』も短篇『キリマンジャロの雪』も書いた。
最近新聞の報道で、バハマ・ビミニ島にあるヘミングウェイ記念館と、ヘミングウェイ指定の座席のあるバーが焼失したと知った。一部の写真や遺品が失われたらしい。

コヒマル港の漁師たち
キューバの魚場のグレゴリオ
キューバの酒場のエウヘニオ
ソトロンゴやグレゴリオ

フロリディータ・バーの　エウヘニオ
彼らがヘミングウェイの友人だった

（同「二つの心臓の大きな川」）

ヘミングウェイがキー・ウェストにやってきたのは、最初の夫人と別れ、『日はまた昇る』の成功による賞賛を得た後のことである。モデルとなった友人たちとは日に日に深まる気まずい齟齬があった。『誰がために鐘は鳴る』や『老人と海』とその小説の原型も含む『海流のなかの島々』は、キー・ウェストとキューバに囲まれた、メキシコ湾での晩年の生活なくしては生まれなかった。島と海のトポスとヘミングウェイの身体が、それらの風景をライトな文体の言語でからめとり、ヘミングウェイ流に作品化した。

ヘミングウェイは、文章の書き出しの名人といわれた作家である。そして小説の終わり方も、ドラマチックにつくる。「老人はライオンの夢をみていた」という文章が、『老人と海』の最後の文章である。『武器よさらば』の最後にある恋人の出産と死にまつわる描写も、また『誰がために鐘が鳴る』の最後の機関銃を撃ちながら主人公が殉死する姿もドラマチックだ。ヘミングウェイの文章には、ハードボイルド風に仕立てられた行間と余白がある。

アメリカよ　きみはますますおちぶれた
老人と海　あの頃まではまだよかった
今は海さえも死体だ

（同「アメリカ」）

飯島耕一が短い講演をしたことはすでに触れたが、印象的な姿だった。精神的には不調の繰り返しのようだった。第一詩集『他人の空』に影響が見えるシュペルヴィエル（一八八四－一九六〇）がそうであったように、この先人飯島耕一はかつて、パリで孤独な異邦人として暮らしていた。

大岡信（一九三一－二〇一七）は、フランス留学後の飯島耕一を襲った精神の病気から、やっと回復していく姿を詩集『ゴヤのファースト・ネームは』のなかに見ている。「彼の言葉は、今や呪文としてではなく、いわば大工にとっての鋸や槌と同様の、現実を一歩一歩踏みしめて進んでゆくための自己回復の道具となり、それ自体この上ない現実性、具体性、正確さをもって動きはじめるものとなった」（「飯島耕一・詩のありか」）。そして、ここには彼の「散文」への接近があると論じた。安藤元雄は「よるべき秩序のない現代に生きる人間の不安の克服」として、現代社会との関係から飯島耕一の詩を捉えている。

一九六〇年にはヘミングウェイはまだ生きていた
ヤンキーではなく　キューバ人として
ハバナの古いフロリディータ・バーのお気に入りのコーナーで
自殺もしないで　生きていた

（同）

ヘミングウェイは初めてのパリ滞在のとき、孤独な異邦人として過ごしていた。彼には、故郷喪失者のほかの芸術家や詩人たちと同じ都市に生きる思いがあった。ヘミングウェイも、詩を書きながら、都会の孤独を癒していたのだ。やがて行動範囲は、故郷オークパークからパリ、スペイン、アフリカ、そしてキー・ウェスト、キューバへと広範囲にわたっていく。

ヘミングウェイは、都市にあらがうように、アメリカの海と島の辺境を愛した。大きなカジキマグロを前にした写真、漁師と網を引く写真、ピラール号を操縦する写真。そこにあるのは、まだ知らぬ土地がかもし出す野生の思考と政治的な意味でのポスト・コロニアル状況や、文化のクレオール化に息づく野生とともにある、行動派としての作家の姿である。

ヘミングウェイの
自殺について
これまで　何度
考え込んだ　ことだろう
その死は一九六一年——
アメリカは沈んだ
そのころから

（同「二つの心臓の大きな川」）

先輩で知り合いの詩人夫妻が、パリに長期滞在することになった。しばらくして、滞在中のパリから絵葉書が届いた。よく見ると、パリでヘミングウェイが住んでいたアパートの写真が写ったものだった。

ヘミングウェイの翻訳者も、最近ではかつての大久保康雄（一九〇五―一九八七）から世代が交代している。高見浩には、『ヘミングウェイと歩くパリ』の編・訳書や『ヘミングウェイの源流を求めて』のエッセイがある。また、「ライオンの夢を見る午睡《シエスタ》を求め、ヘミングウェイを旅している」のが、作家の矢作俊彦である。『ヘミングウェイの海』や『ヘミングウェイのパリ・ガイド』を編集している今村楯夫は、作家の足跡を尋ね、アメリカ、キューバ、ヨーロッパを旅し、その生涯と文学を追いつづけている。ヘミングウェイの訳者だけでなく研究者も、多様な布陣である。最近では、日本ヘミングウェイ協会から創立三十周年を記念して、『ヘミングウェイ批評　三〇年の航路』と『ヘミングウェイ批評　新世紀の羅針盤』という「海」をキー・イメージとする出版がある。さらには、今村楯夫による新訳『老人と海』も出版されたばかりだ。いまも若い読者が多いという詩人北村太郎（一九二二―一九九二）に、ヘミングウェイの短編を訳した『われらの時代に』があるのも思い出す。

ヘミングウェイの死は
個人的な死　だったにちがいないが
アメリカは沈みぬ
あのころから

（同「二つの心臓の大きな川」）

パリのヘミングウェイには、スーツケースにまつわる話がある。

ひとつは、妻ハドリーが駅に忘れたスーツケースである。なかには、ヘミングウェイの未発表のタイプ原稿がしまわれていた。これが、ハドリーとの仲が危うくなった原因ともいわれている。その後、この逸話を扱ったマクドナルド・ハリスの『ヘミングウェイのスーツケース』というベストセラー小説が生まれた。

もうひとつは、パリのヴァンドーム広場に面した、ホテル・リッツの地下に残されていたスーツケースである。ヘミングウェイは、このホテルに初めてフィッツジェラルド（一八九六―一九四〇）と訪れた。『雨の朝巴里に死す』のなかで、フィッツジェラルドがバーの様子を描いているのがこのホテルだ。パリを去るときに、ヘミングウェイはスーツケースをあずけたままだった。それが、二十九年のときを越えてアフリカ行きの途時、たまたま立ち寄ったとき、ボーイからその存在を告げられたのである。

このなかにあった、小説のタイプ原稿とノートブック、新聞の切り抜きなどが、遺作の『移動祝祭日』によるパリの描写となるのは、あまりにも有名な話である。

6　詩集『アメリカ』

二十一世紀の冬の朝——
一九四五年の十代半ば
昭和初年生まれは総崩れ
豆カスと　カボチャの世代は一体
どうなって　しまったんだ
死ぬなかれ
おれの古い友人たち
ちょっと対立したこともあるにはあったが
本心から嫌ったことはない
と知ってくれ

（飯島耕一「バド・パウエルといる冬の朝（2）」『アメリカ』）

飯島耕一には、『アメリカ』のほかに沖縄を題材にした詩集『宮古』がある。そこで、島民たちと泡盛を飲んだ。飯島耕一には、本人が隠すことなく述べているように、手術のできない精神の病を引きずりながら移動しつつ、詩作した時期があった。その歩行の行程とともに、空間感覚に優れた選択と、詩行から次の詩行への転換がさわやかな自然体の詩群を生んだ。飯島耕一にも、ヘミングウェイと同じように、喩からときはなたれるようにして、平易な詩語や行から行への転換と余白への移動がある。そこに、彼特有の韻律がある。日本語の特徴である音数律からすれば、七五調の呼吸が息づいている。

八月に戦争が終わって
スタインベック
ヘミングウェイ
フォークナー
彼らの名と小説が　やって来た

（同「二つの心臓の大きな川」）

アメリカは、精神の「内」の故郷喪失者である飯島耕一の旅程にとって、存在論的な序奏であり、身体論的な最終章でもある。

なぜならば、昭和初年生まれの戦中派にとっては、アメリカは決定的に大きな精神分析的な存在だったからだ。

いまは深く立ち入らないが、鮎川信夫（一九二〇－一九八六）の書いた戦後の詩「アメリカ」とは何であったか。混交する宗教の各宗派、極左によるマルクス主義、保守層を中心とする新自由主義と多くのマイノリティ。鮎川信夫には、黒人詩人のラグストン・ヒューズ（一九〇二－一九六七）の詩や小説を読んでいたふしもある。アメリカは、いまもむかしも、外と内に問題を抱えつつ、巨体の多様体である。

飯島耕一は、詩作ができずにいた間、九・一一の衝撃のなかにいた。マンハッタンのテロの風景と終戦時に見た米軍の空爆の風景が、飯島の脳裏にひとつのものとしてよぎった。さまざまな場所のなかに存在した身体が見たもの。感じ取った風景。それらが、言語の共時論的統一として、やや破調をともなった日本語の詩となって生成している。

一昨日　蟬の骸が
東京の地下鉄の階段に
落ちている
と聞いた

その蟬に質問するべきだった

急ぎ足の　これらの人間たちは
一体
どこに行くのだろうか　と

（同「コルトレーンの九月」）

若き日の飯島耕一は、西脇順三郎の存在にはそれほど関心がなく、むしろ批判的だったらしい。それが、一度西脇に会って短い会話をして以来急速に親しくなり、以後、詩人の死にいたるまで敬愛しつづけることになる。

飯島耕一にとって、散文や小説、長編詩への傾向は、西脇と出会うあたりが転換点だった。そしてそこに詩作自体の転換もあった。先日、比留間一成氏より、手紙とともに西脇順三郎の『近代の寓話』（創元社・初版本）をお送りいただいた。慶應義塾大学で教鞭をとっていた西脇自身の、学生にむけたコメントと署名が自筆で記された詩集である。

飯島耕一の詩行と詩行の転換の方法は、中期から晩年にいたる西脇順三郎に似てはいないだろうか。西脇順三郎の歩行を、飯島耕一もまた反芻している。西脇順三郎の、目黒から世田谷にかけての散策と生垣の発見が詩行の奥に見えてくるようだ。

渋谷の古書センターで、『西脇順三郎の絵画』を手に入れることができた。「画家としての西脇順三郎」という飯島耕一の巻頭言が載っていた。

荻生徂徠　走る
春近い
九十九里の浜を
儒者中の豪傑　と大田南畝の言う
荻生徂徠　走る

（同「荻生徂徠　走る」）

毎年九月に駒沢大学で「西脇順三郎の会」が開かれていた。
そこで、「天」について語る飯島耕一の姿を見た。西脇順三郎と老子の関係性はよくわかる。西脇順三郎と荻生徂徠（一六六六―一七二八）との関係には不思議な選択があった。飯島耕一は、荻生徂徠の書簡を丹念に読んでいる。
秋になると、上野の国立博物館では、荻生徂徠の書による六曲一双の「天狗説屏風」が展示された。それは、大きな屏風に書かれた、まことに堂々とした書であった。その意味は、儒仏の一致の思想である。慶應義塾大学の近くにある魚籃坂でバスを降りて坂を右手に上がると、浄土宗長松寺である。荻生家の墓所の一角に荻生徂徠の墓はあった。

パリとスペインやライン地方の旅、九州平戸や生月島、天草や五島列島、宮古や池間島から上野より奥羽の遠望と、飯島耕一の歩いた移動線は長い。旅程が次から次へと転換し、広範囲にわたっている。戦後詩人の最終ランナーと自認する飯島耕一の行程も、都市の孤独を抱えたヘミングウェイの道行に比するといってもよい。

そして詩集『アメリカ』では、ロートレアモン（一八四六–一八七〇）やシュペルヴィエルや、ラフォルグ（一八六〇–一八八七）の生まれたウルグアイのモンテヴィデオ、アルゼンチン、ブラジルのサンパウロ、マイアミからメキシコへと南北中にわたるアメリカ体験が喩の背景にある。

都市は国家の象徴であったが、幾つもの脱国家、祖国喪失の穴がうがたれて、国家を超える。写真家たちが世界の都市を歩き回るように、吉増剛造をはじめ、詩人が世界と海の風景を歩きはじめた。飯島耕一の詩集『next』には、次のように書かれている。ここにも詩人の心象にとっての、海と海岸や島の風景があった。

海岸に出るとほっとする。書くものの上でも海岸や島が出てくると安心する。
どうやら海のほとりには幸福感の源泉があるらしい。

（飯島耕一「群島国の詩人　あとがき」『next』）

3　ふたつの大洋　メルヴィル、中上健次、源実朝

1　ロンドン

「荒地」の詩はエズラ・パウンドの大胆な削除によって、現在の姿となった。いまでも保存されている原稿には、添削の痕跡をまざまざと見ることができる。

チョーサーのカンタベリ物語の冒頭「時は四月。」が、T・S・エリオット（一八八八―一九六五）の「荒地」の冒頭では、「四月は残酷極まる月だ」となって、死と復活を暗示しつつ引用されていることを知ったのは、幾つかの解説を読んでからである。

四月は残酷極まる月だ

リラの花を死んだ土から生み出し
追憶に欲情をかきまぜたり
春の雨で鈍重な草根をふるい起すのだ。
冬は人を温かくかくまってくれた。
地面を雪で忘却の中に被い
ひからびた球根で短い生命を養い。
シュタルンベルガ・ゼー湖の向こうから
夏が夕立をつれて急に襲って来た。
僕たちは回廊で雨宿りをして
日が出てから公園に行って
コーヒーを飲んで一時間ほど話した。

（エリオット『荒地』西脇順三郎訳）

この詩は、米国生まれのエリオットの詩人としての地歩を築いた作品であり、第一次大戦後の時代を代表する現代詩である。西脇順三郎は昭和二十七年、五十八歳のときに、この詩を翻訳した。慶應義塾賞をとった翻訳は、原注に加えて訳注をもつ。その影響から、上田保（一九〇六－一九七三）の「四月は残酷きわまる月で、／死んだ土地からライラックをそだて、／記憶と欲望をまぜあわせ、／鈍重な根を春雨で刺激する。」が成立した。もちろん、「荒地」の詩人鮎川信夫にも訳がある。「四月はいちばんむごい月、不毛の地から／リラを花咲かせ、追憶と／欲情をつきまぜて、春雨で／無感覚な根をふるいたたせる。」と、幾分やわらかな文体となっている。

「荒地」の詩に登場したり引用されたりした、種々の翻訳本や関連するグッズを集めると大変な量になる。『神曲』やシェイクスピアや『トリスタンとイゾルデ』だけではない。『金枝篇』や仏典からタロットまで、まことに多種多様である。

「荒地」の詩には、もうひとつ有名な詩句が引用されている。「美しのテムズよ、静かに流れよ、わが歌の尽くるまで」というくだりである。これはエドマンド・スペンサー（一五五二頃－一五九九）の結婚歌からの引用である。西脇の訳注には「荒地」には「水に関するテーマが多い」と書かれている。エリオットは、かつての麗しく流れるテムズと近代文明に汚された川の流れを暗に比較し、「空虚の都市／冬の正午、鳶色の霧の中で」と暗示させた。ロンドンの都市の形容は、近代文明に生きる文明批評のコンテクストに組み込まれ、西脇も上田も、都市の「空虚」と訳している。先に触れた鮎川信夫の訳では「幻の都市、」だ。微妙に言葉遣いに差異がある。

「荒地」の詩の舞台となったテムズ川のほとりにたたずみ、聖マリア・ウルノス寺院からキング・ウィリアムズ街の冬の冷たい夜道を知人のドイルさんと歩いた。ロンドンブリッジを遠くに眺め、青物市場に立つ。街の灯りの明滅を瞳に映しながら、川風にまどろんで、時間の過ぎるのに身を任せたときだ。霧のなかで暗い印象の世界の都市、ロンドンが浮かび上がった。

翌朝、国会議事堂脇にバスは止まった。モネ（一八四〇－一九二六）の絵に出てくる国会議事堂である。霧のなかから、昼の鳩がビッグベンを斜めに降下した。ミッシェル・ビュトール（一九二六－二〇一六）の『時間割』という英国の霧深い都市を描いた小説があった。ロンドンの街の水と空の原風景である。重厚な煉瓦の建物の通りに面して、クロムウェルの銅像が石畳の横に立っていた。

夕立ちがやわらかにやってきて、三月ひでりの根本までしみとおってしまう。そのおしめりの精気で花が生まれて咲いてくる。

そよ風もまた、香ばしい息を吹いて、どこの山林地にも荒野にも、柔かい新芽が枝にふいてきた。

まだ若い太陽も、春分からめぐり出して、白羊宮を半分以上もめぐってきた四月の初旬。

ナイチンゲールという小鳥は、夜中もおちおち眠らないで、美しい節回しで鳴いている。

それほどまでに、自然の力というものは、小鳥の心でさえも、やるせなく突くものか。

こんな季節になると、人々は霊廟の巡礼にあこがれて、遠い諸国の国々へ旅立つのだ。

パレスチナの聖地巡礼をする人は、海を越えて、外国へとあこがれる。

とくにイギリスでは、どの州のはてからも、カンタベリの巡礼を思いたち、病気をいやしてくだされた、聖トマスの参詣に出かけるのだ。


（チョーサー「ぷろろぐ」『カンタベリ物語』西脇順三郎訳）


「荒地」の詩のモチーフになっているテムズ川の上流や下流。『カンタベリ物語』には、その時代をテムズ川とともに生きた人々の生活の描写がある。「火の説教」や「水死」などには、地・水・火・風の四大元素への考察があった。ヨーロッパには、アナクサゴラスの火成論やターレスの水成論などが、錬金術の歴史とともに存在する。

ゲーテの『ファウスト』の第二部にある「古代のヴァルプルギスの夜」の「エーゲ海の入江」の描写に、四大への讃歌を読み解いているのは、ドイツ文学者の高橋英夫である。「五官の中の視覚と、四大の中の水とに共通して特徴的であるのは、それらがとりわけ関連づけの力に富んでいるという不思議さであるだろう」と、元素としての四大のなかでも特に水が、大きな意味をもつことの不思議について書いている。

ゲーテに導かれて、水への思いを辿ってみよう。「西東詩篇」の頃のゲーテは、プラトンやプロティノスの本を読みふけっていた。「西東詩篇」の冒頭は「詩人の巻」「逃走」の詩句からはじまっている。

歌と形象《かたち》

ギリシア人が粘土を捏ねて
もろもろの形象《かたち》をつくり出し
わが手に成りし子をみて
その喜びを高めるとも

われらにとって楽しみふかいのは
オイフラット河に跳り入りて
流れる水のなかを
あちこちと泳ぎまわることだ

こうして魂の灼熱を消すと
歌がひびき出るだろう
詩人の清い手が掬ぶと
水は凝って珠となろう

（ゲーテ『西東詩集』小牧健夫訳）

東方への思いは、アラビアの詩人と「火」の思想から喚起された。ラインやマインやネッカル川流域への旅で培った「水」の思想と、ギリシアと東方の象徴主義が人妻マリアンネを触媒にして、オリエンタリズムとともに融合した。「詩人の心がわかりたければ／ぜひ、その詩人の国へゆけ。／東の国に赴いて、知れよ／物古くして新しき喜びを。」と書いたゲーテの「逃走」がもたらしたものは、西と東の融合である。ゲーテにおける「東方」への逃走は、実生活における新生面の開拓を表していたのだ。

中南米などのエリアを対象に一世を風靡した感のあるカルテュラル・スタディーズやポスト・コロニアルの視点は、サイードの『オリエンタリズム』を経由しつつも、体験の希薄な日本国内においては、批評としての生命が短いようだ。しかし、ゲーテにおけるオリエンタリズムの射程は、現代的であると同時に、将来への長い射程の問題を複雑な反照として内在させている。

フランス構造主義の先駆者のひとりガストン・バシュラールは、シャンパーニュ地方の農村部に生まれ育った。祖父は鍛冶屋であり、父は靴屋を営んでいた。バシュラールは、『水と夢』のなかで、彼の土地の思い出を、元素としての水によるイマージュ＝物質的想像力として考察した。シャンパーニュの地で、科学史哲学者は詩やイマージュ（物質的想像力）の奔放な力動性そのものを、四大（四元素）に媒介された水の精神分析へとその思考を展開した。

「水」への関心は、「睡蓮あるいは夏の夜明けの驚異」を招きよせる。ジヴェルニーへの旅。ジヴェルニーの思い出は、モネのアトリエと庭園とともにある。

パリの西北約九〇キロのセーヌ川の支流にあるジヴェルニーは、モネの終の棲み家だった。アトリエの一室には、喜多川歌麿（一七五三―一八〇六）や安藤広重の浮世絵が飾られていた。庭園は、庭師のようなこの画家が、池の水辺に浮かぶ睡蓮を描きつづけた場所だ。パリのオランジュリー美術館にある睡蓮の大装飾画は、その代表作である。ここには、ジャポニズムを造園した「日本風の橋」もあり、季節になると藤が咲き誇る。モネにとって、この池の水辺と「印象――日の出」の海は、オリエンタリズムやジャパニズムと同等の、生命にかかわる水性であった。

サンスクリット（梵文学）学にも関心を寄せたエリオットは、四大元素をインド・ヨーロッパ言語圏とのつながりとしてとらえていた。四大は、仏教思想における物質の構成要素であり、ギリシア思想における自然の構成要素である。古代中国思想にも、共通してそれは存在する。「荒地」の後半には、「ガンガ河は底が見え、うなだれていた木の葉は／遠くヒマラヤ山に黒雲がかかるまで／雨を待つのだ。」というインドの風景の描写がある。そして最後を飾る詩句には、ウパニシャッド哲学の章句の終わりに歌われる詩句、「シャーンティー（心の平和あれ）」が置かれた。この詩句は、西欧キリスト教社会における「理解を超越する平和」と同じ意味である。いつの時代でも、経済社会における富や物質の多くを得ようとする営為は、リスクもかかえている。心の平安を得ようとする営為からはまことに遠い事柄である。人類は、現象する大地や水や火や空への思いを詩に託することで、まるごとの自然によって慰藉されてきた。テムズ河畔の人々の生活が、中世社会から近代社会を通過して、銀行員だったエリオットの「荒地」を生成したのである。

その意味で、エリオットの「荒地」は、四大元素への考察を通じて、西欧と東洋の掛け橋をなそうとする努力の結実でもあった。

2　ボストンの水辺

水のイマージュを思うとき、忘れがたい美しい水辺の描写がある。ところは古都ボストン、ナサニエル・ホーソン（一八〇四―一八六四）の筆だ。

ジョニー・デップの主演映画のひとつにチャールズ二世（一六三〇―一六八五）治下、王政復古の時代を生きた詩人を描いた「リバティーン」という作品がある。そこには、ミルトンとそれ以後のロンドンの街の事情がよく物語られている。ジョニーの演ずる第二代ロチェスター伯爵ジョン・ウィルモット（一六四七―一六八〇）は、新潮社世界文学辞典の篠田一士（一九二七―一九八六）の解説によると十七世紀中葉のロンドンで活躍した詩人である。英国は、清教徒による革命を果たしたが、内部分裂と、その後のクロムウェルによる厳しい独裁がなされたために、王政復古となり革命の挫折を経験した。詩を書き、演劇を上演するのは、時代の重い空気のなかで、せめてものより自由をもとめようとする営為である。過度な飲酒も、悪所通いも、女優に入れあげることも、詩を書くためになされた露悪的な行為ではなく、詩人の批評精神が自由をもとめた反時代的行為の現われに他ならない。そこには、十七世紀のロンドンにおける宮廷と場末の風景が対比的に描かれていた。
この時代、聖書を中心とする自由な信仰をもとめる分離派の清教徒たちは、苦境に立たされていた。こうした時代に先だって、新天地をもとめて脱出する多くの清教徒がいた。英国からオランダへ、オランダから北米のニューイングランドへ。大西洋から川を上ると、町が川辺に開ける。新天地の町には、どこでも英国にある町名がつけられた。

ヘスタは小さいパールに、あそこで草を集めている人としばらく話しをするからすむまで、水辺へ駈けて行って貝がらやもつれた海草と遊んでいなさいと言いつけた。そこで子供は小鳥のように飛んで行き、小さな白い素足をだして、湿った海辺をぱたぱたと走りまわった。あちこちで急に立止まり、引潮のとき残されてパールの顔がうつる鏡になっている水たまりを珍らしそうにのぞきこんだ。水たまりの中からは、頭に巻毛を輝かし眼には妖精に似た笑をたたえた小娘の顔がパールをのぞいて見ていたので、他に遊び相手のないパールは手をとって駈けっこしようと誘った。ところが幻の小娘の方でも同じようにさし招き、「ここの方がいいわ! 水たまりへはいっていらっしゃいよ!」と云っているようだった。それでパールは膝の深さまで足をふみ入れると、水底に自分の白い足が見えた。するともっと奥底から微笑のようなものが立騒ぐ水の中で漂い途切れながらきらきら光って見えた。

（ホーソン『緋文字』鈴木重吉訳）

古都ボストンは、マサチューセッツ州東部の州都で、アメリカ東部ニューイングランド地方最大の都市である。

大西洋が入海する湾の奥のチャールズ川の河口に、一九三〇年、ジョン・ウィンスロップ（一五八八－一六四九）率いる清教徒（ピューリタン）によって建設された。近くには、プリマス、セーレムの町がある。植民地時代や独立革命期の史跡をもち、赤レンガ造りの町並みを残す伝統を誇る古都である。かつてボストン・レッドソックスに松坂投手が所属して話題沸騰となり、また「海を越えた日本の名品」を所蔵するボストン美術館があることで知られている。「ボストンは優雅な町で、がさつな私には、適いそうにない」と、この町を訪れた司馬遼太郎（一九二三－一九九六）は書いていたが。

ナサニエル・ホーソンは、港湾都市セーレムの旧家に、船長の子として生まれ育った。メイ・フラワー号でニューイングランドに到着した清教徒（Prigrim Fathers）の信仰と生活を、緋文字を胸に掲げるヘスターとその娘パールを中心にして描いたのが『緋文字』だ。愛情のない夫の医者チリングワースと若く有能な牧師ディムズデイルのふたりを対照させつつ、水辺と森のある町を文学的「場所」とした。ホーソンの象徴的な文章は、翻訳を通した語感にも伝わっている。アレゴリーを駆使した格調の高い文体である。貴婦人のヘスターはロマン主義を、牧師のディムズデイルはピューリタニズムを、医師のチリングワースは科学（錬金術やインディアンの薬草治療）とファウスト神話（魔術）を象徴している。さらに緋文字Aこそ、ピューリタンが背負った象徴的な罪悪と赦しの記号である。

この作品は、キリスト教関係者やアメリカ文学の研究者にとって、特に重要であった。現在、この作品に関心をもつ人が少ないのは残念だが、ヘスターとディムズデイルの再会の場では、水辺の描写がとくに美しい。

二人が腰をおろしたのは小さな谷間で、両側には木の葉の散っている堤がゆるやかに隆起し、中ほどには小川が流れていて、川床には落葉が沈んでいた。その上にのしかかっている樹木が時折大きな枝を投げ落すと、流れはせき止められ、そこここで渦を巻き黒くよどむのだった。また流れも速く勢もいいところでは、川底に小石や茶色にきらめく砂が見えた。（略）小川がたえまないおしゃべりをつづけて、流れ出てきた源の古い森の奥に秘めている物語を囁いたり、よどみのなめらかな水面に映しだしてしまうのを恐れているようだった。ほんとうに、たえずそっと流れて行きながら、小川はしゃべりつづけた——やさしく静かで慰めるような口調だが憂いをふくみ、幼い頃をはしゃぐこともなく過し悲しい出来ごとの中で楽しむ術も知らない幼児の声にも似ていた。

（同）

ホーソンは、波止場を見下ろす税関の建物から町と水辺を眺めたり、散歩したりしては、この『緋文字』を書いた。

散文であるにもかかわらず、海辺だけでなく、パロールとしての川辺の音も、象徴的な隠喩の波動となってポエジーを掻きたてる。奏でられた水面のポエジーは、読書好きで孤独癖をもった、ホーソンの散歩から生まれたものだ。水面の反映と水深の深さの弁証法である。

信仰と生活の自由をもとめた先人たちは、船上で誓約を果たし、降り立ったニューイングランドの新天地で厳しい社会生活を営んだ。自由の国、自由の女神とは何か。彼らのアイデンティティがもとめたものは、チャールズ川の水と川辺の都市の生活のなかにあった。

ホーソンはボードレールや、「水の詩人」といわれたポーから文学的な影響を受けている。日本語の現代口語で翻訳を試みた先人に、福永武彦（一九一八-一九七九）と入沢康夫（一九三一-二〇一八）がいる。彼らは原本はキリス・キャンベル版によったが、マラルメやルモニエの仏訳も参考にした。後に、ハーマン・メルヴィル（一八一九-一八九一）も近くに越してくると、ホーソンと交友をもった。メルヴィルは『白鯨』をホーソンに捧げている。ふたりがパブでかわした会話は、どんな内容だったのだろうか。そして、ポーがこれに加わって酒でも飲みかわしたら、どんな会話をまじえたことだろう。

3　ミカエルに導かれ

川辺を歩いた記憶をここに蘇らせてみよう。私を導いたのはミカエルだった。

フランシスコ・ザビエル（一五〇六―一五五二）は、反宗教改革の烽火のもとに日本にやってくると、日本の守護天使を大天使ミカエルとした。

ラテン語の「ミカエル」は、イタリア語圏ではミケーレであり、フランス語圏ではミッシェルとなり、スペイン語圏ではミゲル、英語圏ではマイケルとなる。天正の遣欧使節とはローマ法王への四人の日本人少年使節団である。そのひとり千々石ミゲル（一五六九？―一六三三）の「ミゲル」とは、ミカエルのことである。

大天使ミカエルは、キリスト教のヨーロッパ伝播とともに、まずイタリア半島の南、ガルガーノ半島の高台の町モンテ・サンタンジェロに舞い降りた。五世紀末のことだ。やがて、ミカエルはローマのテヴェレの川辺で剣を収めた。疫病の終焉となった六世紀のことである。この地は聖天使城となり、サン・ピエトロ寺院とともに、ローマの夕陽に染まる。聖天使城は、教皇庁の所有となり、城塞となった。やがて、フランスのノルマンディにも、大天使ミカエルは舞い降りることになる。モン・サン＝ミッシェルである。それは八世紀になってからのことであった。

ミカエルに導かれるように、パリを歩いたことがある。セーヌ川に囲まれたシテ島から左岸に架かる橋はミッシェル橋である。橋をわたるとサン・ミッシェル公園となり、メトロのサン・ミッシェル駅がある。メトロを降り、階段をのぼって地上へ出ると、サン・ミッシェル大通りが、ソルボンヌの区域までつづいている。後ろをふりかえると、ノートル・ダム寺院が聳えていた。カフェの建ち並ぶ通りをさらに歩いて行くと、サン・ジェルマン大通りとの交差点にぶつかる。ここの一角にあるのが、国立クリュニー中世美術館である。

通りに面した金網のなかは、ローマ時代の浴場跡である。やがてクリュニーの寺院が建ち、いまは中世美術館になっているこの地域は、古代のローマ人が生活していた場所であった。この建物は、十四世紀にブルゴーニュのクリュニー大修道院の院長が建てたものである。十五世紀には、今日の館に建て直された。十九世紀になると、新しい都市計画によって、サン・ミッシェル大通りのあたりも大きく変わる。しかし、美術館の建物は、周囲の風景のなかで異彩をはなちながらも、人々に愛されて残されている。当時は、十九世紀のアレクサンドル・ド・ソムラールという人の中世美術コレクションの展示場だったらしい。

中世美術館の二階にあるのが、連作「一角獣を連れた貴婦人」のタペストリーである。六枚のタペストリーが、緋色を基調とした絹と羊毛の染糸で織り上げられている。ユニコーンが鏡に映る「眼＝視覚」、女性がポータブル・オルガンを弾く「耳＝聴覚」、インコがボンボンを食べる「舌＝味覚」、女性が角にさわる「身＝触覚」、香水を手にする「鼻＝嗅覚」の五感のタピストリーと、女性が豪華なネックレスを手にしている「わたしのただひとつの望みに」。背景の動物や草花も興味深い。最後のタペストリーは、解釈が分かれている。宝石箱から首飾りを取り出している「望み」であるのか、それともいまそれをしまおうとする「意志」を表現するものなのか、あるいは身につけていたものを宝石箱に入れてそれを贈り物とする折衷案なのだろうか。

五感全体による芸術表現が、古代から現代までの表現方法をつらぬいて、大きな意味をもっている。すぐに思い出すのは、ボードレールだ。「幼童の肉のごと新鮮に、木笛《オオボア》のごと／なごやかに、草原のごと緑なる、薫あり。」(「交感」『悪の華』鈴木信太郎訳)と、嗅覚が触覚や聴覚や視覚と交感する。「万物照応」のコレスポンダンスのなかに、各アルヴァベットの語感がもたらす感覚が絶妙に融合する象徴主義の詩的言語を飾る世界を描いた。「眼」「耳」「鼻」「舌」「身」の五感により、現代の若者は行動し、強く認識作用を行使する。知的レベルよりも、感覚レベルの高い芸術表現が、言語を駆使する文学表現を凌駕する。

象徴主義やシュルレアリスム以後の詩文さえも、そうした影響下にある。西脇順三郎が「ボードレールと私」で再三述べているのは、ボードレールの詩魂には、イギリスのロマン主義のコールリッジ（一七七二―一八三四）と、ドイツのロマン主義哲学者のシェリング（一七七五―一八五四）と、そしてアメリカのロマン派のポーの影響を受けているということだ。確かに、ポーもホーソンもメルヴィルも、ロマン主義時代の作家であった。ここには、英国、ドイツ、アメリカ、フランスの文学に共通して、それを連ねる五感のイロニイの考えが無意識の「通底器」となっていることが重要である。

ボードレール的交感とは、きわめてしばしば言われるように、諸官能の類推のコードをあたえるだけの単なる置きかえではない。それは、ただひとつの瞬間における感覚的存在の総和である。しかし、香りや、色や、音を結びつける感覚的同時性は、いっそう遥かな、いっそう深い同時性をおびき寄せるためのものにほかならない。

（バシュラール「詩的瞬間と形而上学的瞬間」『夢みる権利』渋沢孝輔訳）

長く憧れていたタペストリーを見学した後、となりの公園で一休みした。脚線美を見せる『随想録《エセー》』のモンテーニュ（一五三三―一五九一）の銅像の前には、誰もいなかった。

パリ最古の教会サン・ジェルマン・デ・プレにむかってフラヌール（遊歩民）になった気持ちで歩いていく。急がずにしばらく歩くと、近景となった教会を前にして、右側に道を折れ、教会の裏手の道に回った。ロマン派の画家ドラクロワの美術館があるはずである。はやる気持ちをおさえて、なお普通の速さで歩いていくが、残念なことに、ドラクロワのアトリエだった美術館は閉館していて、入ることはできなかった。近くのサン・シュルピス寺院には、ドラクロワのフレスコ画「天使とヤコブの闘い」や「悪魔を撃つ大天使ミカエル」がある。内部の祭壇の前では、手を取り合って祈りをささげる、シスターたちがいた。

教会の影が当たる道の右側に、カフェ・ドゥ・マゴとカフェ・ド・フロールが見えてきた。モンマルトルからモンパルナスへ、そして、第二次大戦前後からサン・ジェルマン・デ・プレに、文化の中心の移動があった。写真家のロベール・ドアノーは、街角で偶然に、子犬を連れたジュリエット・グレコ（一九二七―二〇二〇）と出会った。カフェ・ドゥ・マゴの奥のテーブルでは、原稿を書いているボーヴォワール（一九〇八―一九八六）

の痩せた姿があった。

乾燥した空気のせいで、喉が渇く。カフェの椅子に座り、ライム入りのペリエを飲みながら、夕暮まじかのサルトル・アンド・ボーヴォワール広場を行き交う人々の流れを見つめていた。ここでは自動車さえも普通の速さで歩いているかのようである。エッフェル塔の展望台から撮った写真がある。東側にアンヴァリッドのドームを眺む。左後方にはシテ島のノートル・ダム大聖堂が見える。中央には、サン・ジェルマン・デ・プレ聖堂とサン・ジェルマン・シュルピス寺院が置かれ、その奥の右側後方には、パンテオンがポツンとある。

4　水は海へ

バシュラールの四大元素についての四部作のうち、「水」に関して、興味を惹くのが、『水と夢　物質の想像力についての試論』である。

バシュラールは、その「序　想像力と物質」のなかで、水という物質的イマージュの思い出を自らの来歴に重ねている。

わたしは、小さな谷が多いためにヴァラージュという名を持つシャンパーニュの谷間の地方の一隅、川と小川の国に生れた。わたしにとってもっとも美しい場所とは、谷間のくぼみや泉のほとりや柳の短い下蔭であったろう。そして川面に霧がたちこめて十月になるとき……。

わたしの楽しみは今もなお、小川となかまになって、土手に沿い、正しい方向、つまり人生をどこか他所へ、たとえば隣村の方へみちびく水の流れに従って歩むことである。わたしの「他所」はそんなに遠くへは行かない。わたしが初めて**大洋**をみたのは三十歳のころであった。

（バシュラール「序　想像力と物質」『水と夢　物質の想像力についての試論』小浜俊郎・桜木泰行訳）

訳者の小浜俊郎と桜木泰行は、竹内勝太郎（一八九四–一九三五）、金子光晴（一八九五–一九七五）、丸山薫（一八九九–一九七四）、大岡信、天沢退二郎などの「水」に関する現代詩に関心を寄せる。そして、戦後いち早く出版された西脇順三郎の『旅人かへらず』の冒頭の詩に、谷間にそだち、遅く海を見たバシュラールの物質的イマージュと等質の詩人の感性を見出している。

西脇は『*Ambarvalia*』の「ギリシア的抒情詩」のなかで、多くの海のイメージを開花させている。詩人は、神戸のシュルレアリストたちにつづいて瀧口修造（一九〇三―一九七九）が検挙されると、水墨画を描きながら、実質的な沈黙に埋没した。新潟の小千谷に疎開し、山や丘や町を流れる信濃川のほとりをよく散歩した。『旅人かへらず』はこうした生活のなかから、構想された白いエクリチュールである。晩年の詩人は老衰し、あらためて小千谷へと帰郷した。窓からは、信濃川の流れが見える。詩人は、総合病院の特別室の病室で静かに息を引き取った。

旅人は待てよ
このかすかな泉に
舌を濡らす前に
考えよ人生の旅人
汝もまた岩間からしみ出た
水霊にすぎない
この考へる水も永劫には流れない
永劫の或時にひからびる

ああかけすが鳴いてやかましい
時々この水の中から
花をかざした幻影の人が出る

（西脇順三郎「1」『旅人かへらず』）

バシュラールは人間の体質と精神との関係について、古代から伝えられる四大元素とのつながりを想定している。

古代から中世へと、錬金術や医学と密接に関わりながら、神学の思考が深められていた。胆汁質は火、憂鬱質は土、粘液質は水。多血質は空気といわれてきた。西脇順三郎の資質が粘液質かどうかは難しいところだ。詩人の体質のある部分が、非合理の感覚の存在として認識されており、このウル－原始人の心的世界を「幻影の人」と名づけた。西脇順三郎の体内を流れる四元素は、それぞれ小千谷の山や丘や谷や川の自然と交感している。とくに川の「水」から出てくる幻影の人の描写は、バシュラールのいう「水」の物質的イマージュと交感しているようである。

吉本隆明（一九二四－二〇一二）の詩集『固有時との対話』の出版への尽力などで知られた奥野建男（一九二六－一九九七）という文芸評論家がいる。『太宰治論』で出発した奥野健男は、東京工業大学では伊藤整（一九〇五－一九六九）の英文学の講義を聴き、吉本隆明といっしょに「大岡山文学」の文芸部員の中心メンバーだった。『転位のための十篇』の校正をしたのも、彼であった。

奥野健男の秀逸なテマティック批評である、『文学における原風景』は、都市社会の原像を縄文文化に求めた。『〈間〉の構造』は、水や土の元素の複合したイメージと日本人に固有な「間」の構造を文学的イメージの原型だとするが、その書のなかにバシュラールの引用が散見されることが思い出される。

わたしは後にバホーフェーンの［著書］のなかで、母音のa（アー）は水の母音であるとたしかに読んだのである。それはaqua（ラテン語の水）apa（ルーマニア語の水）wasser（ドイツ語の水）に命令する。それは水による創造の問題となる。aは最初の物質のしるしだ。それは宇宙の詩篇の頭文字だ。それはチベットの神秘主義においては魂の休息の文字である。

（バシュラール「結論　水のことば」『水と夢——物質の想像力についての試論』）

バシュラールによれば、「水」の言語の象徴は、物質のなかでも、最初に訪れる世界である。果たして、水の語源の最初のシニフィエ（意味されるもの）が、「宇宙の詩篇の頭文字」であるのかは判然としないが、チベットの奥地にあるポータカラという寺院は、海とも関係のある観音信仰とかかわりがある。チベット仏教やマンダラの世界と、水の語源には、何らかの関係があるのかもしれない。『老子道徳経』の第八章には、「上善は水の若し。水は善く万物を利して而も争わず」とある。

思い切って、水のイメージを海へと展開してみよう。いま、私の眼前にはヴェネツィアの風景が広がっている。ヴェネツィアの冬の高潮はアクア・アルタといわれ、満潮になると、海の水は、教会や店のなかにまでも入ってきた。観光客は、地元の人々に混ざって、脚の高い仮設のベンチのような板の道の上を恐る恐る移動する。

川辺と海辺、さらに海そのもののなかへ。想いが広がってゆくのを許していただこう。海の小説の世界的作品といえば、『白鯨』である。

アメリカの作家ハーマン・メルヴィルの青春期は、海と船の上の生活であった。メルヴィルが十二歳のときに、父の事業が失敗する。時代はアメリカ最初の金融恐慌の頃である。八人兄弟の三番目のメルヴィルは、家計を助けるために働きはじめる。十九歳で、英国リヴァプール行きの貨客船に乗り、ボーイとなって大西洋を往復した。二十一歳になると、捕鯨船に乗り込み、四年間、南太平洋を放浪者として過ごした。ボストンに帰還したのは二十五歳のとき。なかでも、捕鯨船での経験を題材に、世界的に知られる『白鯨　モービィ・ディック』を完成させることになったが、日本の近海へも視線を投げるメルヴィルはそのとき、わずかに三十一歳だった。

イシュメール、これをおれの名としておこう。何年か前のこと――正確にいつのことなのかはこの際気にしないでいただきたい――我が財布の中身は底をついて、加えて我が心をひきつけるものはもうこの地上には何もないということになった。海に行こう、そうだ、少しばかり船に乗って世界の海を見に行こう、そう思い立ったのはそんなときだった。

（メルヴィル「ぼんやりと見えてくるもの」『白鯨　モービィ・ディック』千石英世訳）

海は、多くの作家を魅了してやまない。例えばバイロン（一七八八―一八二四）は、『チャイルド・ハロルドの巡遊』を生涯書きつづけた。渚は渚のおだやかさを、荒海は荒海の巡礼の激しさを描くことによって。

5　熊野という「海やまのあひだ」

熊野をひとことでいえば、ディープな世界である。

この地方は文字通り、折口信夫（一八八七―一九五三）によって命名された「海やまのあひだ」である。折口信夫は、明治四十五（一九一二）年の八月、学生たちと連れだって、伊勢志摩と熊野を旅した。この旅は、大王ケ崎の海の彼方である「常世」や「妣の国」の発見につながる。熊野の地に奥深くまよい込むことによって、聖なる土地との決定的な瞬間を体験したのだ。すぐれた旅人の折口信夫が、まさしく詩人釈迢空の直観として感じたものこそ、熊野の「海やまのあひだ」であった。このときの歌を『安乗帖』にまとめるが、その後も旅はつづけられ、大正六年（一九一七）にも、再訪している。

朝海の波のくずれに、あるく鴉。
　　こゝの岸より行くわれあるを
鳥の鳴く朝山のぼり、わたつみの
　　みなぎらふ光りに、頭をゆする

朝の間の草原《クサフ》のいきれ。疲れゆく
　我を誰知らむ。熊野の道に
朝あつき村を来はなれ、道なかに、
　汗をふきつゝ　ものゝさびしさ
（折口信夫「熊野」『海やまのあひだ』）

土地の成り立ちようには、中国のような大陸性、朝鮮のような半島性、日本のような島嶼性の特徴があげられる。紀州熊野は島嶼性である日本のなかでも、「海やまのあひだ」の典型的な半島性の風景を現出するトポスである。紀州熊野には、海の旅と山の旅が交錯する「海やまのあひだ」を象徴的にかたどる地勢的特徴がある。

若いときには海に憧れるが、年をとってくると落ちつくのは山の近くであると、人生の年輪を経たある人の言葉にある。遠くの海を眺めると、気持ちが穏やかになるといわれるが、山奥の霊気に似た空気の湿った匂いには、命の深みまで空気の精が入り込んでくる気持ちになる。影法師は、海の神と山の神である。

私が二十年も前に、水産業界誌での仕事の出張の途中で補陀洛山寺や那智宮を訪れたのは、もう一つ、紀州出身の小説家、中上健次の故郷を見るためだった。和歌山県新宮市の「路地」の世界が彼の出身地であり、それは都市部落としての被差別部落空間だった。観音浄土としての補陀洛や補陀落渡海とは直接の関係はないものの、古来、熊野比丘尼が勧進して歩いた熊野三山の信仰は、紀州、新宮の風や土や水に染み込んで中上健次という小説家を育てたはずだという確信が私にはあったのである。

（川村湊『補陀落　観音信仰への旅』）

『アジアという鏡　極東の近代』や『異郷の昭和文学』などの著書があり、アジアへの視線をもち、日本の近代文学に独特な批評の視線を提出する川村湊は、『言霊と他界』を通して、日本文学の底流を流れるエートスを考察するうちに、アジア的なもの、特に東アジアの文化源流と共通するものへと関心をしめすことになった。そして、観音信仰のなかに、朝鮮や台湾、中国、ベトナムにいたる共通の文化をさぐろうとする。

熊野の作家、中上健次（一九四六–一九九二）のことを考えている。現代文学は、村上龍と村上春樹以前、中上健次によって担われている感がする時期があった。中上健次の背負ったテーマは重いものである。小説『熊野集』は、日本文学の伝統である私小説的手法による短編集だが、時代に先駆けたカルテュラル・スタディーズによる作品群でもある。路地を核とした半島性をもつ、ここ「海やまのあひだ」から、アメリカと朝鮮半島を視野に入れながらの考察は、たんなる私小説をこえる批評性をもっている。熊野は、内陸部の奈良や京都や大阪とくらべて、半島性の特徴も息づく。京都がかもし出す、北山と東山、さらに安土桃山へと重層するその文化との連続性とは対照的だ。半島におしつめられた差別と被差別の視点をも内包する地域である。

アメリカで一歳に満たぬ子供を混えて一家でいると、それが初めての海外移住だったせいもあって表むきは来客や知りあったアメリカ人、日本人とのつきあいがありにぎやかだが、文学的に言うなら魂の凍りつくような孤独におちいる。私には気違いじみた執着、気違いじみた愛着が熊野の路地という場所にあるのに気づき、われながらうんざりする。アイザック・ベシュヴィッツ・シンガーもガルシア・マルケスもそうじゃないか、レゲエのボブ・マウリーもゲットーからのサバイバルと言ってはばからない。一人異国でそう自分を力づけるが、理性や狂気によく似ているかもしれないが、まったく違ったものが、熊野の路地から流れ込んでくる気がして、幻視をでもみるように、自分の魂が震え、その魂というものが粒のような涙を一つ浮かべているのを想像する。

（中上健次「桜川」『熊野集』）

中上健次は、『岬』『枯木灘』を書くと、ニューヨークに一ヶ月滞在した。海外から、自己を見つめ直そうとしたのである。

中上健次の初期の作品を見ると、「文芸首都」での作品制作によって、作家のエートスにあるものが、詩人のポエジーを震源としていることがわかる。携わる文学の形態は小説であったが、伝統的文学としての詩歌をポエジーの根源にもっていた。そして、暴力的ともいえるドライでアンモラルな言動行為の描写が、アジア的な女性によって救済されつつも、その激しい性の描写によって、知性を武器とするなみいる評論家や、感性を武器とする詩人には、およびもつかない文章の強さをしめしている。

山のコの字型のちょうど真中に、キヨの家はあった。屋根だけが見えた。日が山に当り、さえぎられ、日陰のままだった。そこから真っすぐのところに臨海ホテルがあり、那智の浜の宮の海があった。入江になっている為、そこはこの近辺の海水浴場でもあった。そこからその昔、海の彼方をめざして舟を密封して出ていった。波があるのかどうかも分からないただ青い海だった。キヨはため息をついた。海の方も山の方も果てしがなかった。日が満遍なく当り、日がさえぎられると陰が出来、寒く、かじかみ、冷気が動き出すのだった。キヨの背の向うの山には那智の滝があり、大社があり、青岸渡寺があった。キヨはのしかかるように太く丈の高い杉が生えた山を背にし、腹のように呼吸する海を見ていた。キヨは、杉のように立ち、海のように呼吸していた。

（同「鬼」）

川村湊によれば、中上健次の小説に出てくる、海やまのあいだの男たちを救済する女には、アジア的な宗教による民俗の精神的ベースがあると考えられ、「東アジア的な広がりのなかでの観音信仰のヴァリエーションの一つである媽祖《マソ》信仰や、琉球弧のヲナリ神（ウナイ神）信仰、あるいは日本各地の船霊《ふなだま》信仰には、血のつながった女が男を救うという、共通した考え方のパターンがある」という。

地の霊（ゲニウス・ロキ）とも重層する観音信仰が息づくワイルドな熊野は、海へとその思考の世界をひろげていけば、それは文字通り、地勢的なディープな世界から、地学的にもワイドな世界になる。

熊野の浜ノ宮海岸にある補陀落寺の住職金光坊が、補陀落渡海した上人たちのことを真剣に考えるようになったのは、彼自身が渡海しなければならぬ年である永禄八年の春を迎えてからである。それまでも自分の先輩であり、自分が実際にその渡海を眼に収めた何人かの渡海上人たちのことを考えたことがないわけではなかったが、同じ考えるにしても、その考え方はまるで違ったものであったのである。

（井上靖『補陀落渡海記』）

連想は、ここから大陸へと海をわたった行者たちを呼びよせる。海岸から南にむかって、そのまま沖へと舟もろとも身を捨てる。井上靖（一九〇七―一九九一）の『補陀落渡海記』は、カソリックの評論家河上徹太郎（一九〇二―一九八〇）によって絶賛された。

一休（一三九四―一四八一）の境涯は、風狂の人生におけるアイロニーの迷走を表現しているという説がある。煩悩の詩を無心にうたいつづける一休と女性の晩年の交流については、男性の生命が女性によって長らえる事実を探れるようだ。「木凋み葉落ちてさらに春をかえす緑を長じ花を生じ旧約新なり」。国立博物館で、一休の「諸悪莫作　衆善奉行」の書を見たことがある。一休の書は、墨蹟のなかでも、秀逸さのなかに洒脱さをみなぎらせる鋭く細い筆跡である。当時の仏教界に対する反逆の批評を込めた言動でも一休は知られていた。

住職金光坊の補陀落渡海に際するこころのまどいは、生身の人間として、まことに実存的な姿である。晩年、禅浄一如の世界にたどりついている一休宗純でさえ、死ぬ間際には、「死にとむない」と、死の恐怖におののいたという。

6　紀州勝浦の海へのひらけ

この旅は、どのようにしてはじまったのだろうか。前夜、高野山の本覚院に宿泊し、朝早く奥の院と金剛峰寺を訪ね、午後二時の電車で下山した。

紀ノ川をわたって橋本駅からJR和歌山線に乗ると、ようやく五條の駅まできた。紀ノ川に沿って逆方向にある和歌山まで行けば、途中には、西行の墓のある粉河寺や根来塗りで知られる根来寺も近い。五條の町には、明治維新の先駆けである、天誅組の本陣となった桜井寺がある。寺の境内には、不運な天誅組を記念する碑があった。安岡章太郎（一九二〇–二〇一三）の『流離譚』は、一族の先祖である幕末の天誅組に加わった安岡嘉助や覚之助、土佐の自由民権の安岡道太郎を描きながら、正史と一族の私史とを交錯させた小説である。吉野川のほとりにたたずむ栄山寺を訪れる。寺の八角堂は国宝であり、石灯籠は栄山寺型といわれるもので、重要文化財に指定されている。和歌山県を流れる紀ノ川は、ここ奈良県に入ると、吉野川と名を変えていた。

　翌日、五條から特急バスに乗って国道一六八号線を走り、一気に十津川渓谷を南下した。途中、谷瀬、風谷、折立、天辻、上野地、十津川温泉などの山の斜面にはりついた集落を過ぎる。川を止めたダムや吊り橋、山林とキャンプ場が、蛇行する十津川の合間に見えている。ここでは、現代にあっても、「かくれ里」のような小さな集落に川の両端から橋を架けて、人々が生活している。

　やがて、バスは熊野本宮に着いた。全国に三千社以上もある熊野神社の総本社である。本宮の例大祭は、湯の峰温泉で三歳までの男の子が身体を清め、胸に鼓をさげて踊る稚《ち》児八撥《ごやつさばき》と、山伏による大護摩の行事で知られる。現在の本宮は、バス通りの国道脇の小山の上にあるが、かつては、五〇〇メートル下流の音無川と岩田川の合流点の洲にあった。明治二十二年の水害以降、社殿は移されて、高台に建立されたのだ。中央に位置するのが、重厚な熊野造りを誇る正誠殿《しょうじょうでん》である。

　この熊野には、多くの人々が歴史を刻んでいる。伊予に生まれた一遍（一二三九―一二八九）は、証空の弟子の聖達について念仏を学んだが、三十六歳のときに、四天王寺から高野山を経て熊野に参籠した。従うのは、妻の超一、娘の超二と弟子の三人である。正誠殿にて神託を受けると、彼は一遍と名乗りはじめた。

　三十四歳で栂尾の高山寺を建てた明恵（一一七三―一二三二）は、紀州の白上峰に籠ったりしているが、それまでのほとんどの時間を白上の地に過ごした。白洲正子（一九一〇―一九九八）の『明恵上人』や河合隼雄（一九二八―二〇〇七）の『明恵　夢を生きる』に詳しいが、「芸術新潮」でも特集が組まれた。英国から帰国した南方熊楠（一八六七―一九四一）も、熊野の山中に籠って粘菌の採集と研究をしつつ、終生和歌山県の田辺に定住した。

境内からは、世界文化遺産に登録された、熊野古道の霊地へとつづく細道も見えた。熊野本宮の奥の院は玉置《たまき》神社だが、一般の人はそこまでは行くことはないようだ。川を下れば、新宮市にたどり着き、熊野灘を望める。海は近いのだ。

本宮から新宮へ、そこには熊野川の河口近くにある熊野速玉大社がある。大社の例大祭は、白馬の神馬渡御と熊野水軍を想わせる御船祭りだ。祭りの二日目になると、船に乗った新宮の若者が、熊野川の一キロ上流にある御船島を三周するのだ。平安時代末期から、多くの天皇や貴族や武士、そして庶民が熊野に詣でた。蟻の熊野詣である。背景には、中央の京都と熊野水軍の結びつきがあった。実際、父の代から熊野権現に縁のあった平清盛（一一一八―一一八一）は、熊野詣中に京都で反乱をおこされたが、その時清盛を助けたのが、熊野水軍である。

はじめて熊野本宮を訪ねたのは学生時代だった。

伊勢と鳥羽から小説『潮騒』の舞台となった神島を回ってきたので、熊野では、十分に滞在する時間がとれなかった。電車の窓から見た森と熊野川が、とても印象に残っている。新宮の町の速玉大社と、近くの寺の境内では、蟬がやかましく鳴いていた。堂内からは、木魚の音が断続的に洩れ落ちていた。熊野本宮を参拝して、湯の峰温泉に止宿する。湯の峰で知られるのが、小栗判官と照手姫の物語である。藤沢の遊行寺は、時宗の大本山である。裏山に近い場所には、長生院小栗堂があった。伝説では、一度は地獄へ落ちた小栗判官であったが、時宗衆の土車に乗せられ、ここ湯の峰温泉の壷の滝で再生し、照手姫と再会したという。

JRを本宮から乗りついで、紀伊勝浦に着いたのは、五時を過ぎた頃である。勝浦湾に浮かぶホテル中ノ島へは、小船でわたるのだ。ホテルの東側には、勝浦港が隣接していた。さらに南には、鯨漁で知られる太地の港が見える。

翌朝早くの湾内観光は、ホテルの玄関にある船着場からイルカの形をした遊覧船に乗った。まるで、ヴェネツィアのホテルからヴァポレットに乗った気分である。紀の松島は内海だが、外洋気分が味わえる。ワイルドな波に揺られながら、中ノ島の灯台が視界をかすめた。鶴島と兜島のあいだをすり抜けると、熊野灘だ。青空にわく白い雲の下で、くだける波の高さに連られて、船の先端が上下に揺れた。夏の光にきらめく水面のむこうの狼煙《のろし》山には、ホテル浦島がぽつんと建っている。

目を転ずれば、妙峯山の右手の原生林の緑の奥に、わずかに一条の白い滝が見えるではないか。那智の滝である。船は南に進路を取る。兜島、筆島、鶴島の洞門があり、むこうに勝浦湾が開けている。昨日までは、山の中の旅であったが、今日は洋上を船で漂っている。「海やまのあひだ」は、「山」から「海」へと架橋されて、大きな自然が変化するイマージュの時空を走っているようだ。

折口信夫の『古代研究』の「民俗学篇1」には、「古代生活の研究（常世の國）」につづいて、「琉球の宗教」「水の女」「若水の話」などがある。折口にとって、「水の女」とは、聖水信仰と関わる総括的な名辞であった。古代の生活から現代までの巫女の生活は、水の呪術的信仰の実感でもある。折口信夫の身辺には多くの美男子がいた、というのがひとつの逸話である。しかし、終生独身であった折口信夫の年譜を見ると、ひとりだけ身辺に女性がいた。三島由紀夫（一九二五－一九七〇）の「三熊野詣」の小説には、この女弟子と、師である折口信夫の世界が描かれている。「常子は藤宮先生から熊野の旅のお伴を仰せつかったとき、しんからおどろいた」。

この地方では、むかしから、熊野三山は、三熊野《みくまの》といわれている。巡礼としての三熊野詣とは、「熊野本宮大社」「熊野速玉大社」「熊野那智大社」の三山を参拝することであった。

なるほど妙法山の右の黒緑色の山腹に、一ヵ所山肌のあらはれた土の色があつて、そこに白木の柱を一本立てたやうに見えるものがある。よくよく見ると、その白い一線は、かすかにゆらめき、躍り昇つてゐるやうにも思はれるのだが、それは海上の霞が眺めを陽炎のやうに歪めて、幻の動きを与へてゐるのかもしれない。

（三島由紀夫『三熊野詣』）

紀伊勝浦の駅前本通りは、以前に訪れたときより明るくなっていた。商店街もあかぬけて感じられた。駅の前庭には、南国ムードを漂わせる蘇鉄があった。その前に詩碑が立っている。佐藤春夫（一八九二—一九六四）の「秋刀魚の歌」の一節である。

佐藤春夫は、ここ和歌山県東牟婁郡新宮町に生まれた。若くして生田長江（一八八二—一九三六）に師事し、與謝野鉄幹（一八七三—一九三五）や晶子（一八七八—一九四二）の他、森鷗外（一八六二—一九二二）に傾倒し、堀口大學（一八九二—一九八一）や永井荷風（一八七九—一九五九）とも交友をもっている。

佐藤春夫は、『田園の憂鬱』や『都会の憂鬱』だけで知られているわけではなかった。学生時代、コンパの二次会になると人数も少なくなり、店の女主人にせがまれて、ひとりひとりが歌を披露しなければならなかった。ひとりの文学青年が呟くように歌ったのが、「こぼれ松葉をかきあつめ／をとめのごとき君なりき、／こぼれ松葉に火をはなち／

わらべのごときわれなりき。」（「海邊の恋」）は『殉情詩集』の一篇である。「海邊の恋」の歌詞を佐藤春夫の詩集のなかに見出したのは、仕事に就いてかなりたってからのことだった。「海邊の恋」の当時、佐藤春夫は、小田原で『田園の憂鬱』を書いていたが、そのとき、谷崎潤一郎（一八八六―一九六五）の妻千代子との関係を背景として、新潮社から大正十年に処女詩集『殉情詩集』を出版した。雅語を駆使した古典的な傷心の抒情詩が、七五調や五七調の文語定型詩となっている。反時代的なスタイルではあったが、その散文と詩は佐藤春夫を時代の詩人に推しあげていた。この詩は、地元の紀州では、郷土の詩人の一番推しの歌である。

佐藤春夫の詩で人口に膾炙しているものは、「秋刀魚」の詩である。

さんま、さんま
そが上に青き蜜柑の酸をしたたらせて
さんまを食ふはその男がふる里のならひなり。
そのならひをあやしみなつかしみて女は
いくたびか青き蜜柑をもぎて夕餉にむかひけむ。
あわれ、人に捨てられんとする人妻と
妻にそむかれたる男と食卓にむかへば、

愛うすき父を持ちし女の児は
小さき箸をあやつりなやみつつ
父ならぬ男にさんまの腹をくれむと言うふにあらずや。

（佐藤春夫「秋刀魚の歌」『我が一九二二年』）

『我が一九二二年』というタイトルの時代性が、大きくクローズアップされた詩である。最近は地球温暖化の影響で、収穫の時期も場所も変化が起きた秋刀魚である。秋刀魚もイワシも、当然ウナギも、当時から考えれば、庶民には高級魚になってしまった。

東京では焼津や三崎のまぐろが有名だが、それは、遠洋から届いた冷凍ものを漁港からいち早く東京に移送したものである。冷凍ではなく、近海でとれたまぐろを直接食することのできるのが、ここ紀伊勝浦だ。だから、勝浦のまぐろは実においしいというのだ。最近は、フランス人や中国人もまぐろを食べるようになって、捕獲量が世界の問題とされている。紀伊勝浦に隣接する太地は、鯨漁のメッカである。メルヴィルの研究家で全訳もある坂下昇氏は、鹿児島の出身だったが、太地につよい関心を示していた。まぐろや鯨と聞いただけでも、青い海原と白い波とともに、マグロ漁船の雄姿や捕鯨船の物語が脳裏を過る。

7　那智の滝

船から那智の滝を見た後、勝浦発のバスに乗って、見晴台へとむかった。那智駅から迂回するように国道四二号を左折する。バスは山のなかへ入っていった。かつては、山頂の阿弥陀寺までバスがあったのだが、いまは那智山見晴台が終点である。遠望できるのは、左手から那智湾、狼煙《のろし》半島、勝浦湾と紀の松島湾、太地、玉ノ浦、古座、大島、そして潮岬である。中上健次の『枯木灘』の舞台は、残念なことにここからは望めない。

ふたたび山を下り、那智大社のバス停で降りる。さらに、四百七十段のつづれ坂の石段を登る。ようやく朱の鳥居が見えてくる。左が熊野那智大社、右が西国三十三観音の第一番札所の青岸渡寺へとつづく道である。神仏習合の名残りがある。熊野那智大社は標高五〇〇メートルのところにある。熊野の三社のなかで、最もにぎわいのある神社だ。

扇祭りは、十二本の松明が扇御輿を迎える、火と水と人間が乱舞する火祭りだ。滝前では、田刈舞と那瀑舞が演じられて、還御《かんぎょ》となる。神武天皇が八咫烏《やたがらす》に導かれてこの地に上陸し、滝を神として祭った。絵馬には八咫烏が描かれている。那智大社の宝物館に立ち寄ると、当時のおもかげを映した「熊野参詣曼荼羅図」が展示されていた。

平安時代も末期になると、仏教の日本風土への融合が、本地垂迹思想としてかたまり、熊野の本宮は阿弥陀如来、新宮は薬師如来、那智は千手観音となった。一遍は「一遍上人聖絵巻物那智御滝の図」にあるように、正誠殿に詣でた後、熊野那智大社から船で川を下った。西行も、那智大社から那智の滝を訪れている。熊野那智大社から那智山青岸渡寺へ行くことは、神の世界から仏の世界へと移動することである。海やまのあいだは、神仏のあいだにたゆたっている。

青岸渡寺は、熊野山伏の本拠地であった。むかしから、吉野から熊野への道を順峯といい、熊野から吉野への道を逆峯と呼んできた。吉野山の金峯山寺と桜本坊などの宿坊が出発点であり、終着点でもある。青岸渡寺の色鮮やかな三重塔の背後に、那智の滝が白く一条見えている。苔むした細い道を滝まで下りていく。火祭りのときには神社の使いが勇敢に下りていく、険しい道である。

滝の入り口附近で、那智山経塚が発掘された。出土品は、東京国立博物館に所蔵されている。日本でもっとも古いといわれる青銅の十一面観音像もここで発見されたものだ。白洲正子のお気に入りの十一面観音像である。

昼でも暗い杉林の中を下っていく。おそろしいほどの水の音がする。急に目の前が開ける。高さ一三三メートル、瀧口の幅一三メートルの那智の滝が姿をあらわした。鎌倉中期の垂迹画である「那智滝図」を東京青山の根津美術館で見たことがあった。滝の前が、那智大社だった。社殿はなく鳥居だけで、滝そのものがご神体だ。近年、世界文化遺産に登録された。写真では、滝が流れ落ちる銚子口から、青岸渡寺や熊野那智大社を撮ったものや、はるか彼方の熊野灘と那智勝浦湾を撮ったものもある。アンドレ・マルロー（一九〇一―一九七六）もここを訪れ、山本健吉（一九〇七―一九八八）は『いのちとかたち日本美の源を探る』の名著を書いた。

滝前からバスに乗って、那智駅までもどると、小さな駅舎のすぐ後ろが海水浴場だった。彼方には、「常世の国」があると信じられている熊野の海がある。すぐそばの浜の宮三所権現に寄る。ここの本地堂が、裸行上人創建の補陀落山寺であり、十一面観音をまつっている。

以前は、雑草のなかに埋もれたお堂だった。いまは建て替えられている。寺では、住職が臨終すると海に流すのが流儀だった。やがて、内部に紺青の顔料で蓮華を描いた船に乗せ、数日分の食料を積んで、生きたまま浄土をめざした。船に立てられた旗には、「南無阿弥陀仏」の文字がある。もちろん生きては帰れない。この風習は、海の彼方の観音浄土をもとめて、実に九百年もつづいてきた。井上靖の『補陀落渡海記』である。

彼方の観音浄土には、「常世の国」や、実際の南インドの海岸や中国の舟山列島が海の波間にイメージされているという。

常陸風土記を見ると、あの頃にはここが常世国かという土地の人がまだあった。太平洋の沿岸には、そういう伝説の土地がいくつもあった。伊勢にもその名があり、熊野の崎にもまた一つの常世への渡り口があった。それがあるいは補陀落渡海の新たなる仏法信仰の、そこに成長して来た因縁ではないかとも私は想像している。海の文化の経歴が、日本ではまだ少しも研究せられないのは、私たちから見れば文献の中央山間への極端な片寄りと、文字が即ち学問の全部なりと、きめてかかろうとした偏見の結果である。

（柳田国男「根の国の話」『海上の道』）

8　海から望む三浦半島と鎌倉世界

司馬遼太郎が残した『街道をゆく』シリーズは、「三浦半島記」で終っている。

司馬は、磯子のホテルに宿泊しながら、源頼朝（一一四七－一一九九）と三浦氏を中心に現地を取材した。伊豆半島、三浦半島、房総半島を内陸から意識した地続きのイメージというよりも、海洋から見た地勢の領域に意味をもたせている。紀伊半島にある熊野水軍の存在のように、三浦半島を行きかう三浦水軍を歴史のなかに位置づけるフィールドワークである。ここは、吉野修験道で知られる役行者（伝六三四－七〇一）も、若き日に袈裟御前を殺めて出家した文覚上人（一一三九－一二〇三）も、流された土地である。横須賀港を中心に、日露戦争や太平洋戦争にまで話はおよんでいる。

関東の大地が――箱根山塊もふくめて――海に尽き、尽きつつも三つの半島として、相並んでいる。房総半島、三浦半島、そして頼朝が流人の二十年をすごした伊豆半島である。

この三つの半島が、頼朝のころ、たがいに海上交通で結ばれていて、ときに政治的には一つのように連動したに違いない。どの半島の浦々にも水軍が発達し、平素は漁労をしたり、物を運んだりしているが、いざというときには、兵員を運ぶ。

（司馬遼太郎「三浦半島記」『街道をゆく　四十二』）

前田青邨（一八八六―一九七七）は北鎌倉の東慶寺を訪れると、釈宗演（一八六〇―一九一九）に参禅し、境内で写生した。日本画家としての出世作「洞窟の頼朝」はそうして生まれた。

治承四年（一一八〇）の八月、頼朝はわずかに三百の手兵で平家に反旗をひるがえす。石橋山の戦いでは、平家軍に包囲されて苦戦した。石橋山古戦場跡は、現在の小田原と根府川のあいだにある。弓をもって奮戦するが、闇夜にまぎれて敗走し、箱根外輪山中の洞窟に隠れた。従う家来は、わずか六名である。このとき、隠れていた頼朝を見のがしたのが、平家方の梶原景時である。畠山重忠も熊谷直実も、このときは、まだ平家方にいる。その後、頼朝は、真鶴から船で房総半島へ落ち延び、再起を図ろうとする。

頼朝主従を乗せた船は、黒潮の流れに乗って、いまの相模湾から東京湾を通過し、房総半島へとむかった。やがて、当初加勢する予定だった三浦氏が合流する。三浦半島を取り囲む海を基盤とする三浦氏は、同族の和田重盛も含めて、頼朝に加勢する決意を固めていた。畠山重忠に追われて、衣笠城を後にした三浦軍は、頼朝と合流し、千葉に上陸する。

三浦海岸で電車を下り、バスを乗りつぎ、海のむこうの房総半島を遠くに見ながら、海岸線を油壷まで歩いたことがあった。

知人のドイルさんに連れられて「地球友の会」のハイキングに参加したときのことだ。在日の外国人を中心とするウォーキングの会である。環境保全のリーダーを含めて参加者たちは、モダニストであった。そしてその多くがナチュラリストであり、ジャパノロジストである。この地方にくると必ず話題となるのは、北原白秋（一八八五—一九四二）の「海光」や「雑謡」に収められた、「城ヶ島の落日」「油壷」や「城ヶ島の娘」「城ヶ島の雨」の歌である。

海から遠方へと視線を走らせる。カメラのレンズをズームアップすると、房総半島にフェリーの到着する金谷港の後方に鋸山が見えてくる。

この三つの半島のなかでは、房総半島が抜きんでて大軍をもっていた。房総半島は、三カ国もある。いまの千葉県中央部が上総で、北部の大部が下総であり、南部が安房である。

房総半島の大いなる勢力は上総介平広常と千葉常胤であったが、曲折のすえ、頼朝の旗のもとに投じた。

やがて頼朝は三浦半島にもどって、鎌倉に府を定める。

（同）

頼朝という西の源氏の武者が、現在の韮川町に近い伊豆の蛭ガ小島に流された。のちに妻となる政子の縁戚の北条氏をはじめ、伊豆の武士や、武蔵の国や千葉の房総半島の武士たちが、平将門の乱以後、東の歴史に登場することになる。上総の平広常も千葉常胤も、保元の乱以後、平氏と源氏の複雑に入り組んだ政治的地勢のなかで、反平家色を鮮明にしていた。当時、房総半島の南部の安房の国は、安西、神余、丸、東条、長狭の五氏が、領有し支配をしていた。頼朝を擁立して、長狭氏を除く四氏が、房総半島を北上し、鎌倉にむかったのである。

石橋山で敗れた頼朝は、真鶴岬から船で相模湾と東京湾を経て、安房郡鋸南町（現在、竜島とよばれている）への海路を、ほぼ一日をかけてわたったことになる。直線距離にして、六〇キロメートルであった。

その頃の関東と関西を結ぶ陸路は、東海道、東山道、北陸道である。江戸時代に整備された東海道は、「東の海の道」と書くように、以前は戸塚や横浜を通らずに、鎌倉から逗子に出て、三浦半島を横断し、海路を取って房総に上陸し、武蔵に回り込むように道を開いた。

頼朝の上陸地鋸南町には、碑が建っている。「史跡　源頼朝上陸地」は、大森金五郎博士によって、『吾妻鏡』に見える「安房国平北郡猟島」として比定された場所だ。

頼朝が石橋山で挙兵したのは、八月末であった。

援軍を得てふたたび鎌倉に入ったのが、十月六日である。

この一ヶ月のあいだに、体制を立てなおした頼朝にとって、相模湾、東京湾の海の道である海路は、死と再生をはたす場所であり、遠く流れる黒潮のコスモスの影響を受けた海上の時空であった。

治承四年(一一八〇)の九月十三日、頼朝が安芸で兵を揚げた頃のことである。

紀州の明恵上人の父親は平重国といった。上人が生れるとまもなく、関東の上総で戦死している。同じ年の正月に、母にも先立たれた上人は、翌年の秋には、文覚の弟子である叔父の上覚に師事するために、神護寺に入山した。神護寺は、伊豆に流され頼朝に挙兵をうながした文覚上人が、再興した寺である。寺宝には、有名な「源頼朝像」「平重盛像」「藤原光能像」「文覚上人像」の画像四幅が伝わる。『吾妻鏡』には、文覚上人と西行のふたりが対座する有名な話が出てくる。明恵上人は、後に、神護寺のとなりの高山寺に移るが、住居の石水院は、後鳥羽上皇から賜ったものだ。林屋辰三郎(一九一四―一九九八)のいう「京都における鎌倉的世界」が、そこに現出している。

9　漂流

数年前に、女性詩人のまねきで、幾人かの詩人たちと銚子を訪れた。

銚子こそ、秋刀魚漁で知られる房総半島一の漁港である。

東京駅からは、特急の電車やバスが頻繁に出ていた。海辺の食の楽しみがある。仕事を終えて加わったので、夜の会話のときには疲労のためだろうか、居眠りをしていて、同行の皆から顰蹙をかった。次の日は朝食をすますと、銚子電鉄に乗って、犬吠崎に出かけた。犬吠崎の灯台に登り、背後に突き出た先端から、鹿島灘と九十九里浜の海のパノラマを見ていたときのことである。

聞こえてきたのは、「この付近に住んでいる人の苗字は、紀州の人と同じものが多い」という、ささやくような言葉であった。

房総半島に勝浦という地名があることを知っている人は多い。

紀州熊野と千葉の房総の漁法は同じである。館山のある神社は、熊野の神社を勧請している。頼朝は、安房国の東条郷を伊勢の大神宮の神領として寄進している。後年、漁師の息子日蓮（一二二二―一二八二）がいまの誕生寺の近くに生まれている。鵜原や守谷の海水浴場をもつ外房線の勝浦の地名の発祥は、紀伊勝浦と関係があるのだ。房総半島の突端の白浜という地名も同じであろう。

昔、紀州から還流してたどり着いた土地に、戻ることができずに、そのまま住みついてしまう漁師たちがいた。海流に乗ってたどり着いたのは、伊豆半島や房総半島である。黒潮に乗って、熊野からひとたび外洋に乗れば、ぐるっと、沖縄のほうまで流されてしまう。あるいは、伊豆半島から房総半島にまで、流されてしまう。

そこには、近海と外洋との海境《うなさか》がある。

柳田國男（一八七五―一九六二）が伊良子岬で見たのは、椰子の実だけではなかった。波の高い熊野灘の近海を越えて、はるか遠くの南海から異様な漂流物が流れ着く。そこは、「他界の入り口」である。漂流と漂着をめぐる伊勢や熊野の海から、航海と海上安全を祈りつつ、黒潮の道をたどると、そこには海から見た日本文化が横たわっている。われわれ日本人は、はたしてどこからきたのか。中国大陸の南部から貨幣として宝貝を求めて、黒潮の道を北上した。確かな足取りではないけれど、それはそのまま「海上の道」であった。人々は沖縄を経てこの日本列島にやってきた。潮の流れは、ひとたび紀州の熊野灘から離岸流に乗って外洋へ出た船を、どこへ連れていくとも知れないのだ。

ある船はぐるりと南から西へ送り返されて、沖縄や奄美諸島へと流される。ある船は東へ東へと流されて、たどり着いたのは、伊豆半島や三浦半島を越えて、房総半島の入江であった。現在は、黒潮に乗って、ペットボトルが流れ着くというが、南からの黒潮の流れが、幾多の生き物たちの生死をはぐくんでいたのだ。

勝浦の近くに、御宿という海水浴場で知られた土地がある。

その町の中央海水浴場には砂丘があり、大正十二年（一九二三）に作詩された加藤まさを（一八九七―一九七七）の童謡「月の砂漠」の詩碑が建っている。〈月の砂漠を　はるばると／旅のらくだが　行きました／金と銀との鞍置いて／月の砂漠を行きました〉という「月の砂漠」の舞台が千葉の海岸であったというのは、意外である。

戦後の女流詩人が、こうした童謡詩的感性から離れて、「水」や「海」をイメージの原初としている例はいくつもある。海のコスモロジーがその生理と関わりつつ、宇宙論として書かれた印象深い詩は、「水の女」の吉原幸子（一九三二―二〇〇二）の詩である。「オンディーヌ」とは、北欧神話に出てくる「水の精」のことだ。神話とは何か。現代の空虚な物語の領域に、古代からの意味をあたえているもの。

吉原幸子の詩は、水の精の神話を月と海を遠近法によってとらえながら、存在そのものが無意識と宇宙を象徴する言葉の流れによって輪郭化され、コスモスを掠める言葉の閾となっている。その夜、考えるともなくそんなことを考えていた。

月の引力が
こんな大きな海をひっぱるほどなら
月夜には　わたしたち
すこしづつ　かるいのかもしれない

さっき水平線にゐた巨きな赤いもの
あれはちがふ
あれは沈んでゆく太陽だった
月がどこかにゐる
どこかうしろに　ほんとの月がゐる
もっと小さな　蒼ざめた顔で

（吉原幸子「ひき潮」『オンディーヌ』）

10　鎌倉の頼朝と実朝

鎌倉で頼朝は、西行（一一一八―一一九〇）に会っている。神護寺で文覚上人に会った西行は、奈良の東大寺の勧進のために、東北へむかう途中であった。

後鳥羽上皇の院宣によって選出された『新古今和歌集』（第八勅撰和歌集、二十巻、撰者は源通具、藤原有家、定家、家隆、雅経）に九首の歌が入っている頼朝は、西行から有職故実について聞きたがっていた。だが、義経と同時期に東北をたずねる佐藤姓をもつこの歌人は、頼朝の存在に関心をまったく示さなかった。

頼朝の死後、頼家の後に将軍となった実朝（一一九二―一二一九）が会っているのが、友人飛鳥井雅経（一一七〇―一二二一）に紹介された鴨長明（一一五五―一二一六）である。『方丈記』を書き表した鴨長明は若い頃、下鴨神社の「糺すの森」の入り口にあった神社に住み、とくに京都の日野山に方丈の庵を結び、時勢につよい関心をもった。隠者として、歌論『無名抄』や仏教説話集『発心集』を著した。しかし、実朝はほとんど、この文化人に関心がなかったようだ。一方で、『新古今和歌集』の撰者だった藤原定家

（一一六二―一二四一）には、自分の歌を選んで講評してもらうなど、指導を受けつつ、『万葉集』の謹呈を受けた。頼朝が死ぬと、妻の政子（一一五七―一二二五）は宋から帰国した栄西（一一四一―一二一五）に寿福寺を建立させた。そのとき、実朝は栄西に会っている。栄西は、二度入宋して、西域から天竺までわたろうとしたが挫折し、茶種を持って日本に帰国していた。『喫茶養生記』の栄西と実朝は、なぜか気持ちがあったようである。

疱瘡で顔にあばたのある醜男だったという実朝が念願してやまなかったのが、渡宋計画である。当時の中国は、近世の中国社会を確立した南宋の時代である。北方から追われて南を拠点としたが、朱熹が出るなどして、人文画のさかんな国であった。「箱根路をわれ越えくれば伊豆の海や沖の小島に波の寄るみゆ」「大海の磯もとどろによする波われてくだけてさけて散るかも」と、海や磯を詠んだ実朝にとって、宋への渡航は、どんな意味があったのだろうか。栄西からの影響が、やがて宋人和卿との出会いによって、現実のものとなろうとしている。すでに、和田一族は、実朝の近くから去っていた。本歌取りの手法がさえる実朝の自撰集『金槐和歌集』が編まれたのも、和田合戦から七ヶ月後の健保元年（一二一三）十二月十八日のことであった。

「金」は鎌倉、「槐」は大臣を示す。『金槐和歌集』は、名称そのものが、実朝の歌集を示したものだ。実朝の純真な眼差しによって歌われた『金槐和歌集』を読むと、立原道造（一九一四―一九三九）のソネットの形式（十四行詩）に込められた詩魂を思い出す。生涯、静岡より西へ行ったことがない実朝は、吉野や奈良の土地を詠った。一度も中国へ行かなかった池大雅（一七二三－一七七六）が、中国の「四季山水図」を描いたように。

いずれにせよ、註文の唐船は出来し、由比浦の進水式が失敗に終ったのは事実である。彼が親しんだ仏説の性質、宋文明に対する彼の憧憬を考えたり、或は、彼が秘めていた或る政治上の企図などを想像し、彼の異様と見える行為の納得のいく説明を求めようとしても、結局は空しいであろう。謎の人物実朝を得るのが落ちであろう。史家は、得て詩人というものを理解したがらぬものである。「宋人和卿唐船を造り畢んぬ、今日数百輩の疋夫を諸御家人より召し、彼船を由比浦に浮べんと擬す、即ち御出有り、右京兆藍臨し給ふ、信濃守行光今日の事行たり、和卿の訓説に随ひ、諸人筋力を尽して之を曳くこと、午剋より申の斜に至る、然れども、此所の為体は、唐船出入す可きの海浦に非ざるの間、浮べ出すこと能はず、仍つて還御、彼船は徒に砂頭に朽ち損ずと云々」（健保五年四月十七日）実朝は、どの様な想いでその日の夕陽を眺めたであろうか。

（小林秀雄「実朝」『無常という事』）

材木座海岸の先に、和賀江島を眺める場所がある。鎌倉期に築かれた積石が、波の間にまに河原状に浮かんでは隠れている。遠浅で港湾にむかなかった由比ガ浜に、石を積み上げて港を増築したのは、往阿弥陀仏であった。ここのあたりも、夕暮れの江ノ島と富士を眺める絶好のビューポイントである。

港の増築は実朝の渡宋計画の失敗から十五年後のことである。三方を砦のような山に囲まれた鎌倉は、唯一、南が海で開けている。海老やくろだいやシラスがとれる海である。光明寺や九品寺の近くに、補陀落寺がある。その材木座からも、晴れた日になると、積み石の右手に稲村ガ崎が見え、その左手には江ノ島が浮かぶ。背後に大きな富士の造形が白い雪をいただいて見えるのは、ごく稀だ。この海は遠浅で、船の出入りが難しかった。鎌倉では、和賀江島や六浦の港を必要としていた。海路をもたない北条氏にとって、三浦半島を拠点として海路を握る三浦氏は、大きな恐威であった。箱根と伊豆の権現に二所詣をする実朝も三浦氏と関係があり、三浦岬に別荘をもっていた。

太宰治（一九〇九―一九四八）の『右大臣実朝』と小林秀雄の「実朝」は、発表の時期が近い。太宰は、昭和十六年の十一月に発行された岩波文庫『吾妻鏡（四）』（龍粛訳注）を引用しつつ、「右大臣実朝」を書いた。書き下ろし長編小説として刊行されたのは、昭和十八年の九月のことである。他方、小林秀雄は、関東大震災の頃より、母親の療養先であった鎌倉と縁があった。その後、終の棲家となった。当然、鎌倉の地に住みついた小林にとって、鎌倉の歴史は重く脳裏を過る事柄であったろう。特に、源氏の棟梁だった実朝の生き様と歌は、西行とともに関心のあるところだった。小林秀雄は、比叡山にいた。坂本の「鶴喜」という延暦寺の御用達の蕎麦屋に滞在していた頃、「無常という事」のインスピレーションを得ていた。「僕等は西行と実朝とは、まるで違った歌人の様に考え勝ちだが、実は非常によく似たところのある詩魂なのである」と書く小林秀雄の「実朝」は、「当麻」「徒然草」「無常といふ事」「平家物語」「西行」につづいて、昭和十八年二月から六月に「文學界」に掲載された。太宰治が、小林秀雄の「実朝」を意識していたのかどうか、あるいは小林秀雄が太宰が書くものの噂を聞いていたのかどうかは、細かくは論証はできていない。しかし、戦前の狭い文学関係のなかで、相互の関係はありうるという推量が成立する。

小林秀雄も吉本隆明も、史書『吾妻鏡』の「作者」の作為について、歴史研究者がなすような精読をしている。そこに、平将門（九〇三頃–九四〇）の乱以後、奈良・京都の西の歴史とは隔たった東の歴史があった。西行と将門を征圧した同族の藤原秀郷の子孫との関係を調べるため、吉本隆明は房総の地を歩いた。そこで、唐木順三（一九〇四–一九八〇）の『あづま　みちのく』『続あづま　みちのく』の「頼朝の長女」や「実朝の首」のように、日本文学のみならず、中世の歴史の深層に沈んだ東の歴史の事跡を掘り起こしてみたい。

小林秀雄は、「恐らく、実朝の憂悶は、遂に晴れる期はなかったのであり、それが、彼の真率で切実な秀歌の独特の悲調をなしているのである」と実朝の歌の秘密について書いている。

しかし、わたしには途方もないニヒリズムの歌とうけとれる。悲しみも哀れも〈心〉を叙する心もない。ただ現前の風景を〈事実〉としてうけとり、そこにそういう光景があり、また、由緒があり、感懐があるから、それを〈事実〉として詠むだけだというような無感情の貌がみえるようにおもわれる。

（吉本隆明「XI〈事実〉の思想」『源実朝』）

吉本隆明はなぜ、小林秀雄の「実朝」と太宰治の「右大臣実朝」を視野にしつつ、源実朝の「事実」の思想を語らなければならなかったのか。

事実の思想とは、時代がかかえた戦争や内部抗争という不幸を、「一人の人間の不幸の特殊性」（ハンナ・アレント）という、ひとりの人生の不幸の存在の交点にたとえたときに見えてくる批評であった。「何流の歌でも何派の歌」でもなく、権力関係の実在をそのまま受け入れて生きなければならなかった。実朝が歌に託した、存在論的な事実の思想であった。

4　商船と病院船　レヴィ＝ストロースと鮎川信夫

1　高丘親王と明恵上人の見た海

この旅は、どこからはじまり、どこへとつづくのだろうか。私たちの生は、どこかしらの暗闇から生まれて、また、見しらぬ暗闇へと還っていく。暗闇と暗闇とのあいだには、さらに明るみや暗さのプロセスがあるのだろうが、たとえそうした階梯があるにしても、それはとても不可知の世界だ。

だからこそ、この旅をするに際して、人はみずからに語りかける。そのとき多様な読み（レクチュール）から書くこと（エクリチュール）への旅を通じて、垂直に交錯するものがある。おなじように不可知な砂漠である外洋へと、ひとたび、出てみることにしよう。

ノエシスの外洋のはてにあるノエマの島や半島をめざすのだ。

見しらぬ外洋に何かをもとめながら、知らない土地で一息をつきたい。海が、想像の旅にいざなうのだ。自己の探求は、そうした旅としてはじまるに違いない。幾つかのテクストとともに、その終点のエポケーをめざして行こう。

「日本の海の向うにある国はどこの国でしょう、みこ、お答えになれますか。」

「高麗。」

「そう、それでは高麗の向うにある国は。」

「唐土。」

「そう、唐土は震旦ともいうのよ。その向うは。」

「知りませぬ。」

「もう御存じないの。それはね、ずっと遠いところにある天竺という国よ。」

「天竺。」

「そう、お釈迦さまのお生れになった国よ。天竺にはね、わたしたちの見たこともないような鳥けものが野山を跳ねまわり、めずらしい草木や花が庭をいろどっているのよ。そして空には天人が飛んでいるのよ。それればかりではないわ。天竺では、なにもかもがわたしたちの世界とは正反対なの。わたしたちの昼は天竺の夜。わたしたちの夏は天竺の冬。わたしたちの上は天竺の下。わたしたちの男は天竺の女。天竺の河は水源に向ってながれ、天竺の山は大きな穴みたいにへこんでいるの。まあ、どうでしょう、みこ、そんなおかしな世界が御想像になれまして。」

（澁澤龍彦「儒艮」『高丘親王航海記』）

薬子は、おさない高丘親王（七九九―八六五頃）に、そう語りかけた。

高丘親王は、平城天皇の第三皇子であったが、薬子の変で皇太子を廃されて出家する。その後、空海（七七四―八三五）の弟子になり、貞観三年（八六一）に入唐をはたした。さらには天竺におもむこうとするが、虎に襲われ亡くなったとされている。シンガポールの近辺でのことである。

親王の墓は、京都府舞鶴市の郊外の金剛院にある。室町時代に造られたといわれる宝篋印塔が、山腹にポツネンと立っている。親王が亡くなったとき、弟子たちがその遺髪や遺品を持ちかえって、この地に埋葬した。澁澤龍彦（一九二八―一九八七）は、編集者だった奥さんと古寺巡礼をしていた。非常な関心をもって、高丘親王の墓に詣でた。

ひとりの貴種が流離して、宋から天竺をめざしたのである。高丘親王の船は、中国の広州を出発し、南シナ海を南下してジャワに近づいていた。

雷州半島と海南島のあいだの水道をぬけると、海はいよいよ青ぐろく、黐《もち》のような粘りけさえ発して、名にし負うモンスーンもあらばこそ、船は遅々としてすすまなくなった。ひがなひねもす、どんよりした陽ざしの中に水蒸気の幕のような濃霧が垂れこめて、視界はさっぱり見通しがきかない。しかも蒸し暑い。夜ともなれば、ねっとりした水のおもてに小さな蛍のように光るものがぽつぽつ、なにかと見れば夜光虫である。南の海にはめずらしくもないが、うんざりするほどの退屈をもてあましていた親王の一行には、それさえ目を楽しませる一時のなぐさめであった。

（同）

澁澤龍彦のメモ帳には、「高丘親王航海記」の文字を囲むように線が引いてある。そこにメモされている金子健二『東洋文化西漸史』という本は、どのような内容なのだろうか。左から「イングランド、ヨーロッパ→インド」とある。右からは「日本→インド」という地図が自筆で描かれている。東アジアの地政学的批評がうかがえるようだ。『高丘親王航海記』の装丁には、キルヒャーの「シナ図説」が使われた。裏表紙には、南シナ海とベンガル湾を描いた自筆の地図も使用されている。晩年の澁澤龍彦の病床六尺の風景は、遺作となったこの本の文脈に斑点のようにひそまされている。

先の章でふれた中上健次の遺稿集『熊野』にも、作家自身のメモによる地図が掲載されていた。紀州を中心に、朝鮮、アメリカ、中国、インドと展開する図であった。澁澤龍彦も中上健次も、晩年になると、それぞれ東アジアを中心とする地域に関心をむけたことが、強くうかがえる。


メルヴィルの第一作は、『タイピー』（坂下昇訳）である。海洋放浪の体験が存分にいかされた作品だ。海、外洋と想像をめぐらせて、紀州で眺めたたゆたう波濤を思い出す。ここでメルヴィルの描いたアジアの海を呼び起こしておくことにしよう。

メルヴィルは、十九歳から大西洋と太平洋の放浪の旅に出た。商船の平水夫、捕鯨船の乗組員、マルケサス諸島の滞在と脱走事件、タヒチ島での放浪、ハワイでの滞在後、軍艦に乗って一等水平となって帰国した。ボストンにもどるまでには、四年の歳月がたっていた。

ゴーギャンも、メルヴィルにおくれて、南太平洋に魅了されていた。異界（異郷／異族）という時代の空気を吸った彼の同時代人である。

ブルターニュを愛したこの画家は、一八九一年の六月から一八九三年の六月までに、第一回のタチヒ滞在をはたした。レヴィ゠ストロースの『悲しき熱帯』に出てくるインディオも、ゴーギャンの『ノアノア』(岩切正一郎訳)のポリネシアの原地人たちも、タイピーの島人たちも、おなじくモンゴロイドである。ゴーギャンのことは本書の冒頭でも少しふれた。

ハワイ語やタヒチ語の入ったこの「ポリネシヤ奇譚」は、南太平洋をあつかった、メルヴィルのはじめての小説だった。アメリカでは、多くの読者にむかえられた。しかし、世界文学の名編にかぞえられる『白鯨』は、発表当時はほとんど評判にならなかった。『白鯨』の捕鯨船ピークオッド号は、インド洋から島々をぬけて太平洋に入る。いまジャパン近海へと帆の先をすすめたところだ。小笠原諸島でも、沖縄の島々でも、紀州の太地がそうであるように、捕鯨のための港が必要だった。

ビルマ領内から南東へと細く長く延びているマラッカ半島、この半島が全アジアの南の最果てを限る。この半島の延長線上にスマトラ、ジャワ、バリ、ティモールの島々が延々列を成して点在している。この島々が他の諸島とともにアジアをオーストラリアへとまっすぐに連結し、かつは巨大な防波堤、もしくは城壁となって、島々が密集混在する東洋の海と茫洋切れ目なく広がるインド洋とを区切っている。この城壁には鯨と船の便宜のためにいくつかの門が開けられており、なかでもスンダ海峡とマラッカ海峡はその主だった二つといってよい。スンダ海峡を使うのは、主に西方から中国へ向かう船で、ここを通って支那海へと至る。

（メルヴィル「無敵艦隊」『白鯨　モービィ・ディック』千石英世訳）

さて、高丘親王のように天竺へあこがれ、船で行く計画をもっていたのが、明恵上人である。

建仁二年（一二〇二）のことである。母方の領地がある和歌山県の有田の糸野に移り住んだ明恵は、天竺行きを計画する。しかし、春日明神の神託があって、計画をあきらめなければならなかった。同じ年の九月、実朝が将軍になっている。後年、実朝自身も、中国僧の建造による船が浮かばずに、渡宋計画をあきらめなければならなかった。

白洲正子『明恵上人』の「樹上座禅」の章は、能の話である。前シテの宮守と後ジテに龍神、ワキに僧を従えた明恵上人がいる。栂尾にすむ入唐渡天をねがう明恵上人が、「春日竜神」のお告げを聞くというものだ。能では、シテの宮守の翁が、釈迦のいない遺跡をたずねて何になると明恵をいさめる。霊鷲山は春日山、比叡山は天台山、吉野筑波は五台山となって見えてこよう、と明恵に渡宋をふみとどまらせるのだ。

小林秀雄のエッセイを読む白洲正子にとって、梅若実（二代目、一八七八−一九五九）に師事した能と青山二郎（一九〇一―一九七九）を師とする骨董は、ものごとを見る「通底器」であった。女性として能を演ずることはあきらめた。そのとき、白洲正子の古寺巡礼があらたにはじまったといってよい。

油を流したような入海の、複雑な海岸線を背景に、苅藻島、鷹島、黒島などが点々と浮び、その向うにかすかに見えるのは淡路島でしょうか、折しも日が落ちるところで、金粉をまき散らした海面に、それらの島々が夢のように煙っている。釣舟が一つ二つ、島の蔭から現われ、また島の蔭へかくれて行った。

（白洲正子「紀州遺跡」『明恵上人』）

明恵上人は、生地の紀州と京都北西の三尾とのあいだを行ったりきたりする以外は、それほど、旅をしたとはいえなかった。

紀州の神谷にて、ふたたび天竺行きを計画したのは、後鳥羽上皇（一一八〇―一二三九）から栂尾高山寺を賜る一年前のことである。紀州にくるといつも上人は、施無畏寺や白上山の山頂から、湯浅の美しい海を見ていた。そこからは、熊野灘ばかりか、明るい瀬戸内海の海と四国が眺められる。はるかな海上には、宋へとつづく道があった。明恵上人は、ときどき海に浮かぶ島にわたると、石をひろって持ちかえった。島に宛てて手紙も出している。それらの小石は、犬や鹿の木彫とともに、いまも高山寺に残されている。高山寺を訪れたとき、阿川弘之（一九二〇―二〇一五）が関心を示したという狛犬の複製品と、仏眼仏母像の絵を購入した。受付の人が、明恵さんのファンでも、このふたつをお求めになる方は多くはいませんよと語った。

外洋に乗り出した船のめざすところは、宋であり、天竺である。神話が現代と古代とをつなぐように、中国の近世世界を確立した宋の時代と思想が古代インドへのルートを結んだ。日本列島をとりまく海からインドへ行く道は、はるかかなたの遠くにあった。澁澤龍彥の見た「海やまのあひだ」の風景も、白洲正子の見た巡礼の途上の光景が重なると、ひとつになった。

松の枝越しに見える海には、苅藻島、鷹島、黒島などの島々が浮かび、そのはるか向こうには四国がかすんでいる。海には釣舟が動かない。それは何か永遠を感じさせる風景であった。古代このかた、この風景には変わりがないはずであり、おそらく私が眺めた釣舟とほとんど変わらぬ釣舟を、明恵上人もここから眺めたにちがいない、と思われた。永遠のなかに凝固した一瞬、そんなものを私は感じたのである。

鬼海弘雄（一九四五－二〇二〇）は、はるばると海をわたってインドを撮る写真家だった。『印度や月山』は、印度放浪中のなかで取り出された故郷山形の月山のふもとに生きた少年期の回想だ。インドでの放浪の描写にもまして、月山を借景とした「私」の実像と風景がノスタルジックに描かれている。

鬼海弘雄とは、不思議な出会いだった。はじめて本人と話をしたのは、親戚筋の画商の家だった。その後、新宿の居酒屋で朝まで飲んだ。マグロ船に乗って、彼は南洋を航海した。眼鏡をかけた人なつこい性格は、漁師にからかわれた船上でつちかわれたものかもしれない。写真集『王たちの肖像』を中心に、浅草を日本人の原像とする肖像を撮っていた。旅の途中で病んだこともある、何回かのインド訪問から、『ＩＮＤＩＡ』という写真集を出した。ときどき、山形に帰った。母親が危篤になると、仕事を中断して帰郷した。母親が亡くなると、父親もその月に亡くなっている。みずみずしいエッセイを書いていた。いまこの稿を進めていて、訃報が届いたばかりだ。

（澁澤龍彥「明恵さんの羊歯」）

2　レヴィ＝ストロース

本書の航海は、時代も場所も、海によってつながれてゆく。いまスケッチしておきたいのは、甲板に立つレヴィ＝ストロースの姿だ。

レヴィ＝ストロースは三十七歳のときに、マルセイユから商船に乗って南回帰線をわたり、社会学教授として、新設されたブラジルのサン・パウロ大学におもむいた。

「朝五時三十分、私たちは、レシーフェの入江に進入しつつあった。鷗が鳴き、見慣れない果物を売る商人の小船の群が船体に添って犇いていた——、こんな貧しい思い出が、筆をとって書き留めるに値するだろうか」（「第一部　旅の終り」「出発」『悲しき熱帯』川田順造訳）。出発の描写は、翻訳の網の目から浮びあがってくるのだが、ゴーギャンの『ノアノア』の冒頭にとても似ている。ゴーギャンは、二度目のタヒチ島の滞在で、マルケサス諸島のラ・ドミニック島に移り住むと、そこで一九〇三年に亡くなっている。ゴーギャンが、十七歳から五年間の船乗り生活を送ったことはよく知られているが、実際の航海の様子は、ほとんどわからない。ただ、商船の乗組員として、二度、ブラジルのリオ・デ・ジャネイロに立ち寄っていた。

リオデジャネイロのコルコバードの丘に
巨大なキリスト像が立っていた
神々しいというよりも　まるで他を圧するかのようだ
登山電車で登って降りても
街中をバスで走り回っても　どこからでも見えた
敗戦後の東京にそんな名前のクラブがあったと思い出した
（新藤凉子・高橋順子『連詩　地球一周航海物語』）

画家を父にもつ若きレヴィ＝ストロースは、文学を愛する青年だった。コンラッド（一八五七―一九二四）、バルザック、シャトーブリアン（一七六八―一八四八）、プルースト、ルソー（一七一二―一七七八）などの旅する人間（主体）であるロマン派の作品を熱心に読んだ。そして、幼少の頃より動植物の観察や骨董の蒐集に興味をもっていた。やがて出版社に勧められて、気がむかなかったものの、日記や手帖や旅行のメモをまとめると、それはみごとな書記（エクリチュール）として書きはじめられ、『悲しき熱帯』となる。
ブラジルからもどったレヴィ＝ストロースは、ドイツとの戦争がはじまると、ニューヨークに亡命した。印象派の画家だったユダヤ人の父は、強制収容所へ送られた。最初の妻との別れもこの頃のことである。アメリカへの船上で、シュルレアリストのアンドレ・ブルトンに出会っている。多くのユダヤ系の知識人や富裕層の市民が、戦火を避けるようにして、アメリカを目指した。

ニューヨークのレヴィ＝ストロースは、まだ素朴な人類学者でしかなかった。そこで、ヤコブソン（一八九六―一九八二）との歴史的な出会いがある。ヤコブソンは、プラハ言語学派のひとりだった。ふたりは、民族学と言語学の違いこそあれ、たがいの学問に親和力を感じていた。意味するものとしての西欧とブラジル、意味されるものとしての西欧とブラジル。それぞれが差異の現象として映っている。文化相対主義によって共時的にとらえられた「冷たい世界」と「熱い世界」。文化の原型は、耕作や礼拝の表象として意味される。ユダヤ的知が捉えたものは、自然と文化との対立が親族間の近親相姦の禁制やいとこ同士の交差婚の婚姻形態としての特徴をもつことであった。アメリカの民族学は、カナダ系のインディオ研究が中心だった時代である。

ニューヨークでの研究は、のちに『親族の基本構造』としてまとめられる。

ニューヨークでは、タンギー（一九〇〇―一九五五）、マルセル・デュシャン（一八八七―一九六八）、マックス・エルンスト、アンドレ・マッソンなどの亡命シュルレアリストたちと交際した。澁澤龍彦がいちはやく集めてたのが彼らの作品だった。レヴィ＝ストロースは、新鋭の芸術家たちとともに骨董や美術品に関心を寄せた。ラカンやアンドレ・マルローも、フランスに戻った彼らの仲間となって、骨董や美術品を集めたり、買い込んだりした。カナダで『秘法十七番』を書いたブルトンも帰国後、毎週土曜日になると、蚤の市に出かけた。言葉というシニフィアンを駆使するラカンを絶賛するダリ（一九〇四―一九八九）の絵にも、骨董に似たオブジェが頻繁に出てくる。ブルトンの没後五十年に出版された『太陽王アンドレ・ブルトン』（松本完治訳）には、アンリ・カルティエ゠ブレッソンの撮った写真が掲載された。そこには、骨董に囲まれた書斎と石をひろうブルトンの姿が写し出されている。「私がよく蚤の市に行くのは、よそでは決して見られない物体《オブジェ》を探すためである」（ブルトン『ナジャ』巖谷國士訳）。ノルマンディ地方の出身だったが、母方の親戚がブルターニュにいる。ブルトンは、そこで幼年期を過ごした。故郷喪失と祖国喪失の代替物こそ、石や骨董やオブジェであったろうか。多くの地方出身者が、故郷喪失者として都会に出てくる。カフェやレストランで働くことも、アヴァンギャルド活動に身を挺身したり、私小説作家になる姿も、洋の東西で同じことだ。

画家であった私の父は、印象派作家の例にもれず、若い頃、大きな紙挟み一杯に日本の版画を所蔵していました。そして、父はその一枚を、私が五、六歳の時にくれたのです。私はいまでも、その版画を思い浮べることができます。それは一枚の広重で、ひどくいたんで縁取りもないものでしたが、海を前にした大きな松の木の下を、そぞろ歩きしている女たちを表したものでした。

（レヴィ＝ストロース「日本の読者へのメッセージ」『悲しき熱帯』）

一九六〇年からは、彼はコレージュ・ド・フランスで、最初の社会人類学の講座を受けもっていた。フランス文部省直轄のこの高等教育機関は、自由主義による大学の講座によってなりたっていた。市民講座は、無料で一般公開され、試験も免状もなかった。市民が最高の学者の招請による学問を聴くことのできるシステムである。そこで彼は、構造主義言語学のバンヴェニスト（一九〇二－一九七六）と同僚だった。ソシュール（一八五七－一九一三）のパリにおける言語学的遺産を受け継いだバンヴェニストは、比較言語学者としてインド＝ヨーロッパ語族圏の親族関係を深く研究していた。レヴィ＝ストロースの出発が、パリ大学で教授資格試験に合格し、ボーヴォワールやメルロ＝ポンティ（一九〇八－一九六一）と同時期に教育実習におもむくことからはじまることは、よく知られたことである。

サント・ジュヌヴィエーヴの丘のパンテオンに入ると、シャヴァンヌ（一八二四－一八九八）の壁画がある。そこには、パリの守護聖女である聖ジュヌヴィエーヴの生涯が描かれていた。彼女は、オルレアンの少女とともに、救国の乙女である。地下のクリプトにはヴォルテール、ジャン＝ジャック・ルソー、ヴィクトル・ユゴー、エミール・ゾラ（一八四〇―一九〇二）、ジャン・ムーラン（一八九九―一九四三）、アンドレ・マルローなどの、フランスにつくした人々の墓があった。パンテオンの門を出て、普通の速さで、歌うように前の道を歩いていく。ブルトンの『ナジャ』もパンテオンの広場から出発していた。学生でにぎわうクレープ屋があり、まもなくサン・ジャック通りへと出た。右折して、道をセーヌ川へ歩いていく。左手がソルボンヌで、右にあるのがコレージュ・ド・フランスである。レヴィ＝ストロースが講義した当時の教室は、パンテオンの丘にあったらしい。

3　東シナ海と戦後詩

戦後を代表する詩人鮎川信夫は、病院船で東シナ海を北上した。

スマトラ島から大阪を経て、郷里の福井の村への帰還である。そこには、母方の家があった。鮎川信夫にとっての海上の道は、「戦後詩」の内実を走る病院船の航路でもあった。戦後の鮎川信夫の起点は、この病院船からはじまる。大野市の母方と父方の故郷である石徹白《いとしろ》への帰還から父との確執が、深い魂のうちに鋭く対峙する。

日本列島から朝鮮半島や中国大陸を遠望するのではなく、地図をぐるりと回して、中国大陸や朝鮮半島から日本列島の孤弓の点在する姿を眺めてみよう。白村江の戦い（六六二）以後、朝鮮半島と日本の境界線が確定するので、この地域は行き来が自由な海域だった。

日本列島と琉球や沖縄諸島の内側に東シナ海がある。東シナ海の内側には、黄海があり、さらに内海は、渤海湾だ。台湾の南には、南シナ海がひろがっている。

そこでは、海と空が連続している。東シナ海の海。外洋は、広大な海の砂漠である。

船はいつか
黒い海のうえを走っている
太陽はかたむき
とおくの水平線は
青空の無のなかに溺れようとしている
ここは世界で
もっとも深い海
富士山を三ツ沈めても

なお何も浮かんでこないところ
海底には
何万という水兵と
ゆうに一連合艦隊が沈んでいる

（鮎川信夫「消えゆく水平線」）

荒れた海は、サディズムとマゾヒズムの両義性を内包する自然であった。流動する物質とノイズのなかに、歓喜と苦痛がいっしょに混在した。海は表層においても深みにおいても、言霊のオノマトペをかきならす。水と風の元素たちの婚姻だ。水の音が根源的な歌となって、海底からたちのぼってくる。言葉は詩学をともなって生成と破壊を繰り返し、水の元素の想像力を奏でつづけた。

この太平洋の外海はかつて、遣唐使船の第一次船にのった空海が、三十二日もかかってようやく福建省へとわたった海である。また、普照たちが荒れくるう大海を越えて鑑真をむかえにいった、苦難の海道でもあった。

井上靖は、『天平の甍』の校正刷りをたずさえて、作家代表団の一員として訪中している。旅の途上でこの叙事文学の作品に最後の加筆訂正をしたという。描いたのは鑑真（六八八―七六三）らの命懸けの渡海だ。鑑真招聘を実現させるために、第九次の遣唐船団が、大阪灘波津を出港したのは、天平五年（七三四）のことである。その第三次船には普照、栄叡、戒融、玄朗の四人の留学僧が乗っていた。帰国までに、いったい何年の歳月が流れたというのだろうか。彼らのうちひとりをのぞいては、生きて帰ってこなかった。鑑真は、一度目の航海では舟山列島に漂着し、二度目には南のはるかかなたの海南島に流された。視力を失いつつも、ようやく渡日に成功して沖縄に船が着いたのは、天宝十二年（七五三）のことだった。鑑真は、沖縄から奄美大島、屋久島とわたり、ついに鹿児島の秋妻屋浦に到着したのだ。普照の在唐は二十年にも及んだ。

唐招提寺の「鑑真和上像」が、中国に里帰りしたことがある。一九八〇年の四月のことだ。会場は、中国揚州の大明寺と、北京の中国歴史博物館及び法源寺である。大明寺には、八角の石灯籠と奈良の吉野桜と八重桜が三百本、法源寺には、『大正新修大蔵経』全百巻が手土産とされた。

九州と沖縄のあいだにあるのが、奄美大島である。島尾敏雄（一九一七–一九八六）が、戦後文学の内在的意味を問うことになるのも、奄美諸島の加計呂麻島での戦争末期の滞在があったからだ。「出発は遂に訪れず」の体験を綴った島尾敏雄はその後、夢や病妻を描いた作品によって、戦後の移りゆく時代に精神の「内」に失われたものを追うようにして、作家として活躍することになる。しかし、その晩年、土佐や九州や沖縄にある「震洋」の基地の跡地を訪れたことは、あまり知られてはいない。その途上にて書かれた『震洋発信』は、島尾敏雄の遺稿となった。

4　ブラジルからアジアへ

イギリスの画家ターナー（一七七五–一八五一）は、捕鯨の資料を読み漁るなどして、鯨の生態に関心をもっていた。当時の探険航海が記録した奇怪な海中生物の見本に非常な興味をしめしたという。メルヴィルの『タイピー』がイギリスで出版された一八四六年には、海や捕鯨のスケッチを多く描いている。海は、画家が終生執着した世界だ。作品「海の怪物のいる日の出」は、激しい海の描写と怪物の目が、空間をつきぬける時間そのものをあらわすほどの、動きのある画風だ。

海の砂漠は、夏季ともなれば、台風のメッカとなる。

暖かくおだやかな気候の奥には残忍な牙がひそんでいる。ベンガルの虎は、果てしなく緑がつづくかぐわしい森に住み、光あふれる青空からは死を呼ぶ電撃が溢れ出してくる。豪奢な土地柄を誇るキューバは大竜巻を知っている。人でに飼いならされた北の地の人の知らぬ風だ。かくて、このまばゆく輝くジャパン沖太平洋では、船乗りたちが嵐のなかでももっとも恐るべきタイフーンに出会う。それは、ときとして雲ひとつない青空から吹いてきて、甘いまどろみと眠りにしんと静まる町の頭上で爆発する。

（メルヴィル「蠟燭」『白鯨　モービィ・ディック』千石英世訳）

自然の猛威や暴力を書き記すレオナルド・ダ・ヴィンチ（一四五二―一五一九）の手記にも、自然の力と元素にたいする観察がある。アリストテレスの地・水・火・風とエーテルの理論からくる考え方は、五つの元素を正多面体としてとらえるプラトンの伝統的な思索の影響を受けたものだ。運動・動力・重量・衝撃力の四つのエレメントを駆使した空気遠近法こそ、レオナルド・ダ・ヴィンチの名画「受胎告知」の背後の色と明瞭度の変化をうながす構図である。

シチリアの南の都市アグリジェントを訪れたことがある。廃墟となった神殿群が、白い花を咲かせたアーモンドの樹々のある丘のうえにたたずんでいた。ここで活躍していたのが、エンペドクレスである。四大元素を語るギリシャの原初の哲学者だ。植民都市の政治をつかさどる詩人でもある。青い空と紺碧の海とアーモンドの花の咲く焼けるような茶褐色の大地。はたして、火の元素とはどこからきたものだろうか。真昼の空の高い中心で太陽が燃えている。神殿には火がともされ、宗教的な儀式が催された。生贄は、神と太陽へのささげものであった。四大元素の結合と分離は、愛と憎にみあう精神の力学である。物質と水の生成と消滅の変化は、中世の錬金術師たちの手を経て、現在までつながるメカニズムだ。

ブルトンもユング（一八七五―一九六一）も、内的な神秘思想や科学的な錬金術に関心があった。エンペドクレスは、みずからを神と証明するために、雪のエトナ山の火口に飛び込んだ。物資的夢想に生命を賭した、西洋古代の哲学的死である。

旅の終わりは、いつも次の旅のはじまりであった。ブラジルを去るレヴィ＝ストロースにとって、最後のリオ・デ・ジャネイロの思い出は、象徴的な言葉による海の記憶へと遡行する。

私は船に戻る。船は出港の準備を整え、ありったけの灯りで燃えあがる。船は、うねる海を前にして進み、暗い一筋の道が移行しながらついて行くのを見やっているようだった。日暮れ近くに嵐があり、そのため、海は沖の方で獣の腹のように光っていた。しかし月は、風が稲妻形に、あるいは十字形や三角形に変形した雲の断片に隠されている。これらの奇妙な形象は、内側から照らされてでもいるかのようで、黒い雲を背景にして、熱帯に移された北極光《オーロラ》のように見えた。時折、これら煙る幻影の合い間を縫って、赤味を帯びた月の一片《ひとかけ》が、あたかも苦悶しつつ彷徨う灯火のように、過り、また過り、姿を消すのが認められた。

（レヴィ＝ストロース「第三部新世界　グワナバラ」『悲しき熱帯』川田順造訳）

レヴィ＝ストロースは、ブラジルの大学で三年間教鞭を執った。『地中海』で知られるフェルナン・ブローデル（一九〇二－一九八五）が一年後には同僚になった。ローウィ（一八八三－一九五七）の『未開社会』の影響によって、民族学と人類学をこころざすことになった彼は、デカルト的思考にはじまるコント（一七九八－一八五八）、デュルケム（一八五八－一九一七）とは違った手法をとった。言葉、動作、身振り、生活様式、装飾品、食生活、皮膚の色と匂い、儀礼、結婚形態……。フィールドの作業は「手芸」のように、注意力と忍耐力を必要とした。原住民との生活には、マリノフスキー（一八八四－一九四二）が日記に書いた苛立ちと嫌悪感もなくはなかった。だが彼は健康で、ほとんど病気をしなかった。健康な身体と人生航路の持久戦に必要な鈍感さは、鋭敏な想像力の欠如につながったかもしれない。しかし、哲学者自身が回想するように、これによって大きな民族の風習や文化的落差との格闘のなかで、命をおとす危険を犯さずに、生活をつづけることができたのだ。

後年、レヴィ＝ストロースはアジアを旅行した。「アジア旅行のあいだ、私は今のバングラデシュで、ビルマの国境近く、チッタゴン地方に行って、きわめて短い「フィールド・ワーク」を試みました。十五日間に過ぎませんが、ビルマ起原の、仏教徒の住民を訪ねたのです。私はたちまちその雰囲気に魅了されてしまいました。（略）私は仏教徒のあいだに身を置いたとき、ほとんど恩寵に浴していると言ってもいいような状態に自分があるのを感じたのです」（同「二十二年ののちに　レヴィ＝ストロースにきく」）。ここには、多様性が息づくアジアや南伝仏教にたいする親和力とともに、政教一致のイスラムに関するオリエンタリズムへの距離が語られた。それは、西洋の文化と文化的拡張が、二十世紀の全体化規範の装置となっていた時代のことである。その後の日本滞在では、日本に対する親近感を述べている。

文化の多様性を強調することは、ありとあらゆる諸矛盾のなかで、西欧の進歩思想と文化の相対主義を、いかに和解させるかということである。生活のなかに、クレオールを自覚して生きることである。

海は、陸と陸をつなぎ、島と島をおおっている。

港に近づくときがいい
港から遠ざかるときがいい
近づくときは　しばらく同一の形を
とどめているもの　雑多なものに会える　目の喜びがある
海では　形という形はすぐに消されてしまうからだ
夜　港から遠ざかるとき
灯りがあんなにもまばゆいのは
暗い海のただなかで眺めているせいもあるが
あそこには自分はもういないということを
決定的に知らされるからだ
近づくこと　遠くのことの意味を味わってみたかったら
船旅をするのがいい

（新藤涼子・高橋順子『連詩　地球一周航海物語』）

新藤涼子（一九三二－二〇二二）、高橋順子、車谷長吉（一九四五－二〇一五）——。ふたりの現代の女性詩人とひとりの作家が、ピースボートの船に乗って、南半球を一周した冒険譚である。

現実の実相の変容が、創作者（詩人）の想像力をはるかにしのぎつつある現代社会の変質する姿にあって、この航海の詩のフレーズがたどるものは、女性の身体が、たよやかに物質的夢想を言葉の海に表現している姿である。

5 琉球弧をたどる　柳田國男、柳宗悦、島尾敏雄

1　宮古の影

　沖縄には、土器づくりや「生のもの」と「焼いたもの」の文化の原型とが、そのまま保存されている。伊波普猷（一八七六—一九四七）の『古琉球』、真境名安興（一八七五—一九三三）の『沖縄一千年史』、吉田東伍（一八六四—一九一八）の『大日本地名辞書』のうち、続編『第二　琉球』を補訂した東恩納寛惇（一八八二—一九六三）の『南東風土記』、『南東説話』『シマの話』『女人政治考』の佐喜眞興英（一八九三—一九二五）、伊波普猷の後継者の一人で『おもろ新釈』の仲原善忠（一八九〇—一九六四）など、あれほど成果をあげた沖縄出身者による沖縄学や民俗学も、現在多くの人が知っているわけではない。本田安

次（一九〇六－二〇〇一）、鳥越憲三郎（一九一四－二〇〇七）、仲松弥秀（一九〇八－二〇〇六）、外間守善（一九二四－二〇一二）以後、かつてほどの見るべき発見はあるのだろうかと問う人もいる。しかし、沖縄を訪れた多くの人々が魅了されて再訪を繰り返し、北海道や東北出身の中高年が住みついている例もある。若い女性の観光客にも人気がある。

沖縄の白い砂浜と青い海を見るために、一度、海をわたってみよう。ここには、かつての琉球王国があった。沖縄本島とその周辺の島嶼の奄美、宮古、八重山の島々である。

本章と終章では、私の沖縄への旅の思い出をたどりながら、この琉球弧が文学者たちのもたらしたものに触れてゆきたい。

那覇空港に着くと、沖縄の空はうす曇りだった。ときおり、雲間から、陽ざしが落ちていた。日本現代詩人会主催の西日本ゼミナールは、午後からはじまる予定である。予約したホテルは国際通りに面していた。タクシーで、窯元のあつまる壷屋まで行くことにした。沖縄の陶芸には詳しくないが、東京の郷土民具店や駒場の日本民藝館でいくつか見ていた。

平良
いい名だ

平良港のオバアたち
朝からカツオの行商で
地べたにへたりこんでる

（飯島耕一「悪い奴」『宮古』）

〈戦後が終ると島が見える〉。最後の戦後詩人といわれた飯島耕一が、詩集『宮古』と紀行『港町』を上梓したのは、離島の宮古と池間島を訪れたあとである。一九七七年の一月と八月の二回にわたる旅行は、詩人が四十七歳のときだった。

池間島の伊良波盛男とのつきあいもその頃にはじまった。飯島耕一は國學院大学でフランス語の講師をしていた。当時西脇順三郎から、そろそろ読むようにと折口信夫の『古代感愛集』を手渡されたという。「戦後三十三年、ぼくはもっとも戦後意識にこだわって、それに執着してきたほうだと思う。それが南島へと救いを求め、一気に視野がひろがってきたのではないかと思う。宮古島を訪れてから、ぼくははじめて自然な気持ちで柳田國男や折口信夫を読むことができるようになっていた」（「釈迢空の沖縄の詩と歌」）。飯島耕一は、折口信夫によって近代的思考の桎梏から抜け出したのである。彼は、折口信夫が晩年から死の直前まで過ごした、箱根仙石原の別荘に泊ったこともある。

その飯島耕一が歩いた国内の主な場所は、柳田國男の『海上の道』に出てくる土地と場所でもある。
　五島の福江島、伊良子岬、鹿島と香取、瀬戸内海、沖縄、宮古、石垣島……。『宮古』につづく詩集『上野をさまよって奥羽を透視する』は、飯島耕一のポスト南島を位置づける詩集だった。そこには、宮古という島の面影を不可解な揺れる無意識とともにひきずりながら、東京をひたすら歩き、みずからの出自へと展開する詩人の姿がうかがえる。岡山に生まれた飯島耕一の祖先は、佐竹氏の居城から秋田藩に領地替えとなっていた。関ヶ原の戦い後、佐竹義宣は常盤国から秋田に領地替えとなったのだ。奥羽の土地こそ、飯島耕一の東北論の中心であった。そこには、奇妙な糸をひくように、島尾敏雄や岡本太郎（一九一一―一九九六）の北方論の視線が重なる。

島にはいたるところ精霊がいる
神さまはいたるところにいて島民を守護している
悪霊もいたるところにうずくまって
チャンスの到来を待っている
悪霊を祓うには子豚を浜で殺すのだ
その血は波をまっ赤に染めるのだ
もう二度と鬱病にはならないように

島のウタキ（社）にお願いする

（同「ふたたび宮古」）

2　壷屋から国際通りへ

壷屋の店をいくつか見てまわった。ところせましと焼物が並んでいる。それほどには高価なものでなかったので、泡盛の容器である「カラカラ」を購入した。那覇市立の壷屋焼物博物館にも寄って見学をした。

昼食は路地の奥の民宿のようなお店でキーそばを食べた。さらに、普通の速さで平和通りをぬけて公設市場をまわり、国際通りへと散策する。三越デパートまでくると、にぎわう国際通りのすぐ左手に宿があった。まっすぐいけば県庁である。先にはゼミナールの会場である琉球新報ホールがある。

夜汽車にのって、朝、瀬戸内海の尾道か広島あたりにさしかかる、その幾日か前、私はアメリカ南西部の砂漠、少し褐色がかって少し粗い砂の、そう砂漠というより荒地に座り込んで、四周から語りかけて来る、無言の言葉に耳を傾けていた。早朝の瀬戸内海で、島影のむこうから射しはじめた日をみて、「ああ、ここが砂漠だ」とおもいがけない言葉の出現に出合ったのも、海面下の生命の世界と砂漠下に隠された生命の世界が一枚の鏡のようにみえたからなのか。判らない。尾道付近でみた、朝食時の小舟と、里帰りして遊んだ黒いトリが、いま私のなかのみえない時間を一緒に歩いている。

（吉増剛造「荒地にて」）

吉増剛造の詩作は、紀州の根来寺の近くを歩いた詩集『王国』の頃から、初期の詩とは異なる新たな変化が見られる。『生涯は夢の　折口信夫と歩行』をまとめる頃には、奄美諸島と沖縄に、方位をむけていた。飯島耕一が折口信夫の『古代感愛集』によって宮古を発見したように、吉増は、折口信夫の歩行とともに島尾敏雄・みほ夫妻に接することで、奄美諸島と沖縄を発見したといってよい。詩の生成のトポスにおいては、みずからの詩文を始源を求めて万葉仮名の字訓の訓読へと同調させていく契機を摑んでいた。

現代詩の成果である最近の吉増剛造の詩作は、吉増独自の詩と呼ぶしかないような志向性の世界に入ってきている。そこに旅とともに、テクストを読むこと（レクチュール）と詩を書くこと（エクリチュール）が垂直に交錯している。

詩集『オシリス、石ノ神』では、「私コノ土地ノ者ジャナイノデス。／オシリス。／／薄イムラサキノブラウスダッタ。／美しい山。」と、奈良の二上山を描き、「コマ駅は此ノ方ですか？　と訊ねていた私の聲がまだ耳元に鳴っている。／［略］／ああ、いま、東武ノ電車が峠にさしかかる頃だ。」と、武蔵野を描いた。吉増の旅は、国内のヘリにある土地の霊にもよりそい、そこで詩作をした。

慶長十四年（一六〇九）、百隻余の船に乗った三千人余の薩摩兵が、薩摩半島の山川港を出港した。奄美大島の深江、徳之島の秋徳港をへて、沖縄本島では陸路で首里を、海路で那覇を目指して軍をすすめた。民俗の歴史をひきうける。その詩人の身体の言葉が、シャーマニズム的感覚の唄となって、音声と言葉を切断しては融合する。もちろん、ジャック・デリダ（一九三〇−二〇〇四）による言葉や型への脱構築という問題も組み込まれている。カメラを携帯する詩人が対象とするヘリへの旅は、南島の奄美と沖縄の始原性へと感覚的思索の強度をましていた。「二〇〇四年の秋、今福龍太氏と、奄美、加計呂麻島にいて、ジャック・デリダ氏の訃報に接した」という詩集『ごろごろ』は、すべてが書字記号であり、詩人の独白の音声からなる言葉の集積である。「ごろごろ」という言葉を、万葉仮名に接近させ、韓国語の辞書からその意味を引き出すと、原郷の言葉の音訓となって、風景の切断から浮かびあがって聞こえてくるものがあった。

フランスの旧植民地のアルジェリアに生まれたデリダの思想との臨界点であろうか。既制の観念や形而上学を超越する精神の旅がエクリチュールになった。書記記号のエクリチュールと、音声記号で詩的エッセンスの発生であるパロールとの再構築。差延し、結合する原エクリチュールの文章は、アナロジカルに海と島のもつ原初の風光と二重、三重に重なった。

そこに、原風景としての南島の原日本がある。漢字のエクリチュールと和語のパロールの視聴覚の差延のかなたに、原エクリチュールとしての万葉仮名の声が顕現してくる。ヘリを歩きつづけた詩人が、ようやくたどり着いた生成する言葉は、「吉増語」だ。独自の詩の言語、発声によって、あるがままの原初の日本が、鏡に写し出されて再生する。詩集『何処にもない木』では、〈舟がくる、、／――そこに、／海枯不到露底／――海は枯るるも底をあらわすに到らず／そうその底を、、〉と書字した。詩人の言葉が対峙しているのは、南島の海と光と風である。詩人は、差延する記憶と直観のうちに民俗の文化と内的につながれる。そのとき、言葉は原初の光と海と風そのものの露光となった。

〈デリダの思考ノ紙ノ焦げるにおいにさそわれて、書きうつす手の音がとまらない…。〉〈もしこの『新たな』という言葉がつねに、もっともっと、さらに新たな自己固有化の欲動を意味するとしたら、つまり、他者、…〉〈昭和飛行機ノ○戦製造ノ技士だッたKazuma（一馬）ノ子、Gozo（剛造）ハ、こゝニ、〉〈ホトケ、ゴロゴロ石ヨ、わたしたちハ、ゴロゴロ、…〉〈海亀（ウミ、カメ）、テイ（手）、フル、〉〈ミズ（水）、オート（音）、シズカ（静カ）〉〈一千五百行を越えるのでしょう、長詩（仮題）『ごろごろ』七月頃刊を、旅の途上の宿の朝、奄美、加計呂麻、古仁屋、金見崎、和泊、茶花、…そして、二等船室のマットや甲板上で、書き継いでいた。〉

（吉増剛造『ごろごろ』）

3　柳田國男の沖縄

当日のプログラムは、第一部のゼミナールと第二部の懇親会にわかれていた。ゼミナールは星雅彦の司会により、安藤元雄の開会の辞の後、琉球王府第十五代おもろ伝承者の安仁屋眞昭による「おもろ概説」「おもろ朗詠」の披露があり、大城貞俊の

「沖縄現代詩の挑戦――「方言詩」の行方」の講演があった。
その後、中里友豪、松原俊夫の方言詩の朗読があり、最後に、本会の企画担当者である以倉紘平から挨拶があった。

沖縄の航途中《トナカ》の海の
わたつみの伊是名《イセナ》の島に、
舊《フル》びとは　多かりにけり。

朝目よき春の思ひは
おのづから　適《カナ》ひゆくらし――。
しづかなる土につゞきて、
青波と　曇る大空。

（折口信夫「古びとの島」『古代感愛集』）

柳田國男は、大正九年（一九二〇）の暮れから翌年のはじめに沖縄を訪問し、『海南小紀』を書いた。その年の夏には東北を旅行していたが、すでに『遠野物語』を上梓している。その後、『雪国の春』に収める「真澄遊覧記を読む」や「東北文学の研究」を書くことになる。「柳田先生は、日本を山島と異名してゐられる」と折口信夫は書いているが、柳田の信仰は、「祖霊信仰」に力点があった。沖縄では、日琉同祖論（沖縄人の祖先は、太古に九州の東南岸から奄美大島をへて南下してきた）の南下説の伊波普猷の協力をえて、『おもろそうし』の刊行につとめた。『海上の道』は、「沖縄学」の活動と歩調をあわすようにして、戦前に書かれた北上説である。柳田國男の研究は、伊良子岬に遊んで椰子の実をひろったときからのライフワークであった。『柳田國男写真集』（大藤時彦・柳田為正編）を見ると、柳田國男の成城の家には多くの沖縄からの客人が立ち寄っている。

その論調はうねうねとする論理からなる。はっきりと正面から語ることはない。しかし、最後に掲載されている地図と島尾敏雄の解説によって、はじめて柳田國男がいおうとしている、論証を飛躍し結論に至るエクリチュールの意味が判然としてくる。

柳田國男の跡を追うようにして沖縄を訪ねたのが、折口信夫である。

大正十年（一九二一）の夏、沖縄の本島と久高島を訪れた折口信夫は、ネフスキー（一八九二―一九三七）の沖縄探訪に刺激されて、大正十二年（一九二三）の夏に再訪する。宮古・八重山諸島から台湾にわたったのだ。

沖縄――。一九一一年（明治四十四）には河上肇（一八七九―一九四六）が、一九二三年（大正十三）には伊東忠太（一八六七―一九五四）も訪沖した。折口信夫が実感したものは、『琉球の宗教』から「日本文学の発生」へと展開する古代研究への想像力である。柳田國男も「海上の道」を発見し、沖縄という南島に日本人の起原をイメージする。折口信夫は「まれびと」や「日本文学の起原」を沖縄の古代の基層に感じ取った。「水の女」がいる。沖縄の来訪神は、海の彼方の他界（異郷）から、まれびととしてやってくる。口頭伝承に対する言語の考察もある。澁澤敬三（一八九六―一九六三）も、一九二六年（大正十五）に沖縄にわたった。

柳田國男の影響を強くうけた谷川健一（一九二一―二〇一三）は、『常世論　日本人の魂のゆくえ』を書く。「南《ぱい》の島《すま》」「ニライカナイと青《おう》の島」の論考は、沖縄の青の思想から、黒潮の流れをたどる北陸や常陸や淡路にいたる沖縄文化の伝播を跡づけるものであった。それは、柳田國男の歩いた思考の道でもある。

日本人の他界観、来世観の研究は、宣長、篤胤などの国学者をもってしても、大きな発展は望めなかった。それを可能としたのは、常民の信仰を研究対象の中心とした日本民俗学の二巨人、柳田国男とその弟子である折口信夫の登場であった。柳田と折口は、宣長、篤胤の時代には視野に入らなかった常民、とくに南島民の世界観に触れ、それをよりどころにして、日本の古典をさぐるという方法をとった。それによって古代日本人の他界観の秘密が私たちの前に開かれるにいたったのである。

（谷川健一「終章」『常世論　日本人の魂のゆくえ』）

4　柳宗悦と山之口貘

葵生川玲の挨拶と乾杯の音頭につづいて、琉球舞踊と空手古武道演武の余興があり、参加者による三分間のスピーチがあった。

琉球舞踊は「赤馬節」「かでやで節」や「うりずんの詩」「花風」などの舞である。演舞は「エーク手」「北谷クーサンチー」「鎌の手」が披露された。

最後に、与那覇幹夫の挨拶と長津功三良の閉会の辞があり、ほぼ八時すぎには、全行程を終了して散会となった。これが、当日の私の記憶から想起されたプログラムのすべてである。

沖縄本島は、南北三十里に及び、国頭、中頭、島尻と三郡に分かれますが、ほぼ中央を境に上下全く異なる地質から成るのです。山は北に多く南へと下ってゆきます。なだらかな丘陵が起伏して、水際近くに水田を控えます。丘と海との風光は絵のように美しいのです。それに那覇の港から遠くない首里の都は王城のあった所で、歴史は古く人文の跡が豊かに残されているのです。

（柳宗悦「琉球の富」『民藝四十年』）

一九一七年（大正六）に、陶芸家の濱田庄司と河井寛次郎（一八九〇－一九六六）は、沖縄の壷屋の窯場を訪れていた。濱田庄司が製作にとりかかったのは、一九二四年（大正十三）のことだった。柳宗悦は、「なぜ琉球に同人一同で出かけるか」と沖縄をテーマにしつつ、一九三八年（昭和十三）から一九四〇年（昭和十五）にかけて、この美の大国を四回訪問する。延べ八十日間の滞在であった。

第三回の訪沖では、版画家の棟方志功（一九〇三－一九七五）、写真家の土門拳（一九〇九－一九九〇）、評論家の保田與重郎（一九一〇－一九八一）も、他の民藝関係者といっしょに同行している。ドキュメンタリー映像も撮られ、「沖縄の思い出」や「琉球の富」など、沖縄の発見に関する研究やエッセイが残された。この時期は、レヴィ＝ストロースがブラジルで人類学をはじめた時期である。

渋谷から井の頭線に乗ると、まもなく駒場東大前に着いた。改札口を出て、住宅街の道をのんびりとすすんで行く。柳宗悦により創建された日本民藝館が見えてくる。

二階の奥の展示会場にはときおり、柳が戦前沖縄でもとめた民藝品が展示されている。当然、沖縄の厨子甕《じいしかみ》もそこではいくつも飾られた。西洋では、いまでも漆器のことを「ジャパン」といい、陶器のことを「チャイナ」と呼んでいる。沖縄の陶器には南方系、朝鮮系、支那系、薩摩系の四つの流れがある。

太平洋戦争の末期、沖縄は米軍の猛攻を受けた。昭和二十年（一九四五）三月十七日、硫黄島の日本軍玉砕。三月二十日、大本営、沖縄作戦に重大決定。三月二十三日、米軍、沖縄全域を空襲。三月二十四日、米軍、沖縄本島に艦砲射撃。三月二十六日、米軍、沖縄上陸開始。四月七日、沖縄にむけて出撃した戦艦「大和」が撃沈される。

北部の一部をのぞいて、すべてが瓦礫と禿山になる。死者、軍人十万。民間人十五万といわれている。首里城は、爆弾と艦砲射撃によって跡形もなくなった。琉球の文化遺産の集積のほとんどが、博物館や図書館とともに、焼きつくされた。戦前に訪れた柳宗悦の収集品と研究のために持ちかえられた沖縄の文物が、かろうじて残されていたのだ。

それらが日本民藝館に保管されている。柳宗悦を魅了したものは、沖縄に残っていたすぐれた手仕事と日常雑器であった。首里城や沖縄の風景、白と赤の家の瓦屋根、独自の墳墓、言語と音楽と舞踏と衣装、暮しの用具、染物の紅型や絣、焼物や塗物など、レヴィ＝ストロースの『野生の思考』から考えれば、「具体の科学」に出てくる器用人（ブリコルール）の器用仕事（ブリコラージュ）が、そこにあった。

上野の国立博物館の常設展にも、蝦夷の資料と琉球の資料が展示されている。

これは、明治十七年（一八八四）に、当時の農商務省が沖縄県から購入したものに加えて、寄贈された個人コレクションが基本となったものだ。かつての琉球王国は、中国や日本、朝鮮半島、東南アジアとの交易のなかで、独自の文化をつくりあげていた。東シナ海をわたって福州や泉州へ、太平洋をわたって、南シナ海をわたって安南からパレンバン、ジャカルタ、ジャワと交易したのだ。こうした絵画、文書、生活用具をはじめ、古写真も含まれている。日本で最も古いコレクションのひとつだ。そこにある雲珠《うず》には、め込まれた巻貝のクロフモトキは、奄美大島以南のみに棲息すると説明書きがある。この貝を入手できるのは、有力者の証しである。宮古で採れる貝をもとめて、大陸から海をわたって、あまたの「海上の道」の航海があり、航海者の旅があった。

池袋の西口に沖縄料理「おもろ」という店があった。戦後のまもない頃からの店だ。おもろとは、古謡のことであるが、この店には、ミミンガーという豚の耳をお酢で食する料理があった。二階には、沖縄に生まれた詩人山之口貘（一九〇三―一九六三）の大きなモノクロの写真が置かれていた。クローズアップされた詩人の顔写真と、もうひとつは、お酒に酔って踊っている姿である。

いま　こうして郷愁に誘われるまま
途方に暮れては
また一行づつ
この詩を綴るこのぼくを生んだ島
いまでは琉球とはその名ばかりのように
むかしの姿はひとつとしてとめるところもなく
島には島とおなじくらいの
舗装道路が這っているという
その舗装道路を歩いて
琉球よ
沖縄よ
こんどはどこへ行くというのだ

（山之口貘「沖縄よどこへ行く」）

5　首里城と青い海

会の参加者たちは、泡盛に酔ったせいか、もうすこし沖縄の余韻をあじわいたい。一同タクシーに分乗して、海を見に行くことになった。

レストランに着いたものの、暗闇のなかに潮騒を聴くだけだった。夜じゃ海は見えないよ、ということで、みんなでワインの栓を抜いた。

グラスのなかには、昼間の沖縄の青い海と白い波がゆらめいていた。

孤島。大洋上の障碍物のような特権的な場所に立っている
人間に課せられた孤独について考える
迫り出す湾曲。浮く魂や黒い嘲りに肉体は前面に押し出され、
暗い春の感情はたくわえられる
人は「想像」を内部にのぞみ見て生に執着する頃
私はいまだ原初の虚無を負ったカオスであるならば、
夢見るわが水死体（偶像）さえも実体となって

私は幸福と思うにちがいない
孤独。水中に垂鉛を下ろしている夜の虹─無限螺旋
なにものも告げる言葉がないとわかったときにはじめて、
詩の言葉が決然と海の中へ語り出すのを聴いた
私はこの瞬間までずっと忘れていたことに気づく
詩は悲しみの急激な理由であるために
悲しみを喪失した時代で詩の言葉は抵抗する
私は「想像」と言葉の境界の孤島の孤独になり
失われている私の名であるとしたら、
自由の名に換えて存在の不幸を求め続けなければならない
私は私という圧倒的な事実（虚無）によって、
私の名が現代の怪物となって渦巻くのを見ている

（倉田比羽子「孤島の孤独」『世界の優しい無関心』）

詩集は、アルベール・カミュ（一九一三─一九六〇）の『異邦人』に影響を受けた精神の航跡がモチーフになっている。

カミュの恩師は、『孤島』や『アルベール・カミュ　回想』で知られるジャン・グルニ

エ（一八九八―一九七一）だった。アルジェリアのグルニエと『地中海』のカミュとの出会いは、やがてカミュを実存文学の旗手に押し出した。グルニエは、地中海からエジプトへとさらに視線を転ずる。

グルニエの『地中海の瞑想』には、ヴァレリー（一八七一―一九四五）の『地中海の感興』からの影響がある。ヴァレリーは、「海への眼差し」や「地中海のもたらすもの」を書いたが、のちに、「対東洋」という短い文章も書いている。ボードレールも東南アジアまで船でやってきた。ランボーもアビシニアの貿易商となって、西アジアの砂漠を歩いた。ヴァレリーやグルニエやカミュの精神には、オリエンタリズム（エジプトや中近東）の彼方にむけた東洋への視線がある。

その視線を受けるべき地勢学の場に、日本はある。

しかし、この日本という四つの島と数百の小島からなる列島は、考古学や民俗学、歴史学の観点からも、また政治的な視点からも多くの思考すべき原点を内包している。特に、南島といわれる琉球孤には、北海道や東北が含みもつ批評が大きく存在する。それは、中上健次が掘り起こした紀州・熊野と同じ位相であり、島尾敏雄が掘り起こした奄美・沖縄からのちの東北への視座へとつながるものであった。原資料として息づく柳田國男や柳宗悦の仕事も、南島と東北は、比較対象の場所である。

レヴィ＝ストロースの『悲しき熱帯』（川田順造訳）と『野生の思考』（大橋保夫訳）を読む

と、そうした視点が浮かびあがる。

混沌の海のなかから、ひとつの秩序としての島が見えてくる。島には、珊瑚礁や白砂、石や岩などの鉱物体系と植物と動物の生態系があり、人間の、それはまぎれもなく幼児から老人までの男と女が営む社会学的な構造的世界である。そこには、さまざまな民俗的、歴史的な構造もある。琉球孤の沖縄・奄美の地方は、島々に特有なアニミズムとシャーマニズムの宗教的形態があった。ティダと呼ばれる太陽神と城（グスク）の形や、御嶽《うたき》といわれるそれぞれの村の聖なる場所や風葬のしきたりなど、本土からすれば、大きな文化的差異が存在する。

「久高島はわが南島における神の降臨した最初の島として信仰されている島である」（吉本隆明「母制論」『共同幻想論』）。現在でも、斎場御嶽からは男女の対幻想が共同幻想に融合する、聖なるイザイホウの儀式のある久高島を望むことができる。その場所は、見学者が多く訪れて足元がくずれそうになり、柵をつくって保護していると最近の新聞にあった。神の降り立つ久高島と御嶽の位相構造の解明から「国家」というものが、はたして見えてくるのだろうか。

6　尾道

1　ペリーと鯨

旅の二日目は、あいにくの曇り空だった。

一行は短い時間で沖縄南部をまわる予定である。観光バスの窓には、いまにも雨粒が落ちてきそうな厚い雲が透けて映っている。

まず首里城を訪れる。

薩摩藩の接待所である南殿、中国の冊封士やペリー一行を接待したといわれる北殿、そして、正殿、書院などを見てまわる。次に斎場御嶽を訪れる。御嶽の切りたった岩かげの一角から久高島を遠望する。昼食をとって、ひめゆりの塔の駐車場に着く頃には、雨が本降りになった。海岸ぞいの海は、どんよりとざわめいている。そのため、沖縄平和祈念堂や資料館などには行くことができない。一行を乗せたバスは、帰りの東京行きの飛行機の便にあわせて、那覇空港へと急いだ。地元の詩人と連泊する参加者を残して、帰京の途に着く人たちとはお別れだ。

沖縄の近海には、鯨が多く出没した。土佐湾や熊野灘の沖から沖縄の西側のあたたかい海へと、鯨は一千キロにおよぶ行程を泳ぐといわれている。そこで鯨は繁殖するのだ。

神奈川の叶《かのう》神社の奥にある丘を登っていく。そこには、浦賀の海が広がっていた。一八五三年（嘉永六）、この浦賀沖に停泊したペリーが「たった四杯」の軍艦をひきいて、幕府に開国をせまったのだ。燃料や水の補給、漂流民の保護をもとめたが、ほかに、捕鯨船団の権益の確保を要求する。当時、アメリカの捕鯨産業にとって、日本近海は重要な漁場だった。『ペルリ提督日本遠征記』（全四巻）では、第二巻に編集されているのは、「琉球諸島」「大琉球奥地踏査の記録」「小笠原諸島」「再び琉球に帰る」である。ペリー艦隊は、マカオ・上海から江戸にむかって出発するあいだ、沖縄諸島と小笠原諸島の調査をしている。

一八四〇年代の捕鯨全盛期の主な漁場は、太平洋だった。

世界的に知られる捕鯨の地域は、鯨が移動するオホーツク海の北部から朝鮮半島の南部、黄海、東シナ海の沿岸の西太平洋系である。もうひとつは北極海域、ベーリング海の北部やチェコート海から、アメリカ西海岸を通ってカリフォルニア半島、メキシコ本土沿岸へと鯨が回遊する、カリフォルニア系の地域である。

小笠原諸島の父島の周辺やオーストラリアの近海は、ホエールウォッチングの格好の場所であり、観光と商業資本の場所となっているらしい。現在は、捕鯨への国際的な非難がニュースで報道されている。

それが始まりだった、まったくの始まりだった、そのとき海には誰ひとりいなかったし、鳥たちと太陽の光と、果てしない水平線のほかなにひとつなかった。幼いころから、わたしはそこへ、すべてが始まりすべてが終る場所へ、行きたいと夢みていた。なにか隠れ家のこと、宝物のことでも話すように、彼らはその場所のことを話していた。ナンタケットでは、酔ったときのような話しかたで、彼らは皆こぞってその場所のことを話していた。彼らは言っていた、かの地に、カリフォルニアに、大洋に、鯨たちが子供を産みにくるその秘められた地、老いた牝の鯨たちがもどってきて死んでいく秘められた地があると。

（ル・クレジオ『パワナ　くじらの失楽園』菅野昭正訳）

『パナワ』（菅野昭正訳）と『もうひとつの場所』（中地義和訳）を書いたル・クレジオは、デンキ自動車やコンクリートや鉄について書く都市の作家から、砂漠やインディアンやアステカ族などの浜辺、沿岸地帯、砂漠、荒地、空地、樹木、光、海について書く作家となっていた。

彼の作風の変化はメキシコ滞在がきっかけである。マヤ文明やインディオの世界と、文明に汚されていない人々の習俗や新世界の風景につよい関心をはせた。

この小説も、鯨の楽園から捕鯨による失楽の想をえた歴史的事実をもとにした作品である。彼は浜辺でよく読書をした。そのなかには、レヴィ゠ストロースの『野生の思考』があった。神話の構築と日曜大工とを比較して、芸術は職人芸の一形態であると彼は考えている。文章を練る作家とは、言葉の日曜大工である、というのが彼の考えだ。レヴィ゠ストロースとル・クレジオとの対談がある。ふたりは、たがいの年齢差を超えて、つよく共感をしめした。ル・クレジオには「カイエ・デュ・シュマン」誌に掲載されたレヴィ゠ストロース論の「裸の人」がある。

プルーストにとって、ノルマンディとヴェネツィアは海との共生の場であったことを思い出す読者がいるかも知れない。そしてゴーギャンにとっては、海は移動への誘いであった。

ゴーギャンはマルセイユから船に乗った。一度目は官費だった。船は地中海から大西洋を南下し、喜望峰を経て、オーストラリアからタヒチへとむかった。二度目の船出は、帰郷した故郷からの脱出にほかならなかった。しかし、二度目の旅では、さらなる旅が彼をまっていた。「そうした状態でいる時、私はもっと単純な、もっと役人のいない国へ行くべき時だと考えたのである。そこで私は、マルキーズ島へ行く荷造りをしようと思った。約束された土地《ごくらく》、肉や家禽でもって何を作るかを知らない土地、彼方此方を案内してくれるのに、メリノ羊のようにおだやかな憲兵のいる土地」。タヒチ島からメルヴィルも訪れたマルキーズ島への移動である。「君はマルキーズ島に着いて、その体や顔いちめんを被うている刺青を見る時――これは恐ろしい連中だと呟く。しかも彼等は、食人種であった。／人々は、すっかり誤解している」（ゴーギャン『ゴーガン 私記 アヴァン・エ・アプレ』前川堅市訳）。さらに記憶を遠くへとさかのぼる。

若き日のゴーギャンは、大西洋上のマルチニック島にいた。そこには、同じく若き日のラフカディオ・ハーン（一八五〇－一九〇四、後の小泉八雲）が滞在していた。西洋中心主義からの脱西洋という視線が、ふたりの共通する関心事であった。そこには、非西洋のもつ民俗や文化と自然がある。

中国大陸から眺めると、沖縄諸島はくねくねと縄がよじれたように見えた。そのように、呼ばれていた沖縄の島々にじっさい入り込むと、地中海のシチリアに似ていると直観した。

ティダといわれる沖縄の太陽神と、トリナクリアという三本の足をもつシチリアの太陽のシンボル。シチリアには、春と夏と冬しかなかった。

沖縄にはシチリアにはない秋という季節はあるのだろうか。柳宗悦は、頭に焼物を乗せて歩く沖縄島の女性に地中海のコルシカやシチリアの島の風物を見る思いがある、と語っている。西洋の石の文化の発祥地はギリシアである。沖縄の石の文化には、ギリシアの風土と文化に似ているものがあるという指摘もある。デュフィの「地中海」の一枚の絵は、浜辺も海洋も空もみごとなブルーだ。「アンフィトリアテ」（海の女神・ギリシア神話）と題された青のシンフォニーとして描かれた海や空の色も、カミュやグルニエの見た地中海の海と同一の青である。それこそ、ゴーギャンが憧れたタヒチの海と同じ青であったに違いない。ヘミングウェイの遺作『海流のなかの島々』のなかにいる私たちは、青い沖縄の海がうちよせる浜辺にもいることに等しいのだ。

また、すべての地図は、ジパングを取り囲む境界の外側は空域のまま残されている。明らかにそれは、わたしたちの世界から隔絶された孤島のイマージュを想起させるが、一方で、そのでたらめな縮れた境界線を除いてしまえば、わたしたちの世界の何処にでもあるような変哲もない都市の風景のようにも見える。要するに、震えるような輪郭線、気まぐれな彷徨を示す境界線にこそ、ジパングの地図に込められたジパングの人々の図り難い憂愁を読みとるべきなのかも知れない。おそらくジパングの存在は、偏にその境界線によって、かろうじてわたしたちに理解されるのである。

（時里二郎「地図」『ジパング』）

2　島唄

その夜は延泊するので、会員たちと会食することになった。料亭「那覇」での祝宴は、「八重山古典音楽安室流協和会」の那覇支部の方々を招いて、唄、三味線と笛の合奏を聴いた。「でんさー節（教訓歌）竹富町西表島上原」や「あがろーざ節（子守唄）石垣島登野城」につづいて、「つぃんだら節（物語歌）竹富町黒島」や「とぅばらーま（抒情歌）八重山民謡」が演奏される。昨日のはなやかな唄とは違って、とてもしんみりとした、寂寞とした島の唄である。

結論を言えば、私は戦時中の加計呂間島でのそれを含めた奄美の生活によって、私の痼疾であった閉塞の気分が癒され、自分の素性や自分が含まれている国の、とらわれないすがたを、私にとってはそれまでに獲得できなかった新しい視点から見直すことができるようになったのである。

つまり、奄美や沖縄や先島の南島の部分から、われわれの国を見直すことによって、かたくなな感じで受け取っていたわれわれの国を、やわらかくときほぐして見ることができるようになった。それまでどんなに狭い視野でしかわれわれの国の現実や歴史がとらえられていなかったか、ということに私は慄然としたのである。

そして私は奄美や沖縄、先島などの南島を、すべて覆い得る言葉として、琉球弧という学術語を見つけ、更に、その琉球弧をはっきりと意識しつつ、含み持つ共同体験地帯としての、日本ではなく、ヤポネシア、という言葉を組み立ててみた。

（島尾敏雄「私にとっての奄美」『過ぎ行く時の中で』）

島尾敏雄にとって、奄美諸島は思想的に大きな意味を掘り起こす場所であった。その島尾敏雄に当初から非常な関心をむけていたのが、奥野建男であり、吉本隆明だった。特攻という青春の死からの再出発も、戦後の文学的出発も、大平ミホ（後の島尾ミホ）との出会いと生活も、すべてがそこからはじまっていた。奄美諸島の加計呂間島は、土地の人から、「ニライカナイ」の神の国と呼ばれていた。そこに「まれびと」がやってくる。島尾敏雄大尉をはじめとする震洋特別攻撃隊が、出発をまつ記念写真がある。前列中央に座った島尾大尉と隊員たち。そこにある体験こそ、琉球弧とヤポネシアの発見に至る原風景だった。

奄美図書館での館長以後、南島研究がはじまる。それは『離島の幸福、離島の不幸』『私の文学遍歴』『島にて』『琉球弧の視点から』に結実した。晩年の島尾敏雄は、震洋隊基地の跡を訪ね歩いていた。土佐、沖縄にある基地の跡を実際に訪ねていたのだ。しかし、強く希望していたマニラ湾のコレヒドールには、ついに行くことができないまま亡くなっている。父方の出身地は東北の相馬地方である。埴谷雄高（一九〇九─一九九七）と同じ郷里だった。この地には、埴谷雄高と島尾敏雄の文学記念館が建てられている。島尾敏雄は、「近代文学」の同人とともに、埴谷雄高の家に出入りしていた。島尾敏雄の『南島通信』や『震洋発進』のヤポネシア考から「東北地方」への北方論の展開は、島尾敏雄の晩年が、南島と東北への批評的視点を両義的にもつに至ったことの証左である。

岡本太郎の「写真集」が、京都五条にある河井寛次郎記念館に置かれていたのをいまでも記憶している。岡本太郎は、東北と沖縄の両者について、アヴァンギャルドと縄文への糸口をさぐる。『岡本太郎の沖縄』につづいて、『岡本太郎の東北』と『沖縄文化論　忘れられた日本』をほぼ同時に出版した。著作目録には『岡本太郎が撮った「日本」』という写真集もある。

パリの岡本太郎はフランスの抽象芸術運動に飛び込み、マルセル・モース（一八七二―一九五〇）の弟子として、バタイユ（一八九七―一九六二）らとともに社会学や民族学の徒でもあった。彼にとって、民族の生命力としての縄文土器とその美の発見は、沖縄文化論とともに、帰国後、都市と海（南島）の日本の戦後を芸術的に元気づけるものになった。

東北と沖縄に鋭い関心をよせる赤坂憲雄氏の『岡本太郎が見た日本』や『東西／南北考　いくつもの日本へ』も評判を呼んでいる。沖縄に関する視点には、岡本太郎も、島尾敏雄も、飯島耕一も、それぞれの視線からの活動に至る類似性がある。

3　北西航路

翌日は朝から快晴だった。昨日、料亭「那覇」まで乗ったタクシーの運転手からの提案で、翌朝ホテルへきてもらい、帰りの飛行機の時間まで案内してもらうことになった。

南の半島にある景勝地まで車を飛ばした。沖縄の白い珊瑚が、空の青さを反射する。不思議なほどにさえわたるブルーの海だ。浜辺でひと休みした後、今度はグラスボートに乗り込んだ。同乗の子どもたちも、船底のガラス窓の下で遊泳する熱帯魚や、岩場の珊瑚や海草の多様性を見て、大騒ぎである。

「おきなわワールド」には玉泉洞という鍾乳洞があり、鍾乳洞の上にある園内を散策しながら、ショッピングを楽しんだ。昨日、雨のために見られなかった平和祈念堂から平和記念資料館、平和の礎のある平和記念公園に再訪のため車をむけてもらう。毎年記念式典が催される広場の近くの半島状の崖には、青と白の波がたえまなく打ちよせていた。

沖縄の命運がつきようとしていた
ぼくは海軍陸戦隊に化けて

本土決戦にそなえて訓練ばかり
五月二十五日の米軍大空襲で東京は廃墟になる
烈風館も灰になったと父から知らせがあった　とっくに
ぼくの青春も灰になっている

（田村隆一「五月　烈風館焼亡」『僕の航海日誌』）


田村隆一は『僕の航海日誌』の詩を「マリ・クレール」に連載した。

戦争の描写や戦争の言説が書かれているからというだけでは、戦後詩とはいえない。「詩人にとっては、言葉の意味とは、即ち語感の事である。語感とは言わば言葉の姿だ、言葉というものが生きており実在している表情の如きものだ」と、小林秀雄は「私の人生観」のなかで書いている。戦後詩とは、言葉の抒情やモダニズムだけでは、その戦争期の生の全体を解明できないという事実である。

それは生の実存が、硬直した現在から存在論的な言葉を通じて内在的に発露された詩の活性化のことである。

田村隆一のように、みずからの人生を持続的な内省による航海の詩としてたとえる詩人は多い。

白い風の棲みついた
少年の肺の奥から
ゆっくりと小舟が漕ぎだされる
ここで姿を消し
ここにまたもどってくるために

だれかの胸の埠頭でまだ荒れている
うごかない夜のとうめいな海

（松本邦吉「序詩」『航海術』）

あるいはまた、小長谷清美は「大きな籠にゆられゆられて／水たまりの海を決死の小航海／（略）／いっぱいある窓のひとつに／目をすりよせて三十余年の小航海」（『詩集　小航海26』）と、みずからの人生を「小航海」にたとえた。

現代詩人が海を描く手法や経験は、数え切れないほどだ。

北西航路は、カナダ北極圏の冷たい海域を経て、大西洋と太平洋を連絡している。バフィン島領域とバンクス島地域の間の湾や水道、海盆や海峡で途方もなく錯綜した迷宮にそって、北極地方のフラクタル的などこまでも広がる群島を横切って、この航路は開かれ、閉ざされ、曲がりくねっている。不確実な分布と強い恒常的な拘束、無秩序と法則。あなたがデーヴィス海峡から入って行けば、それはボーフォート海で終る。そこから、アラスカ北部をアリューシャン列島に向かって走行していただきたい。解放。あなたは平和という名に対面する。

（ミッシェル・セール「〈ヘルメスV〉」『北西航路』）

北西航路とは、形而上的な精神の自由と平和の比喩でもある。現実の層は、無秩序と秩序の複雑系の混交である。無秩序から秩序が生成する。あたかも海のただなかから出現するフラクタルな島のように。ウンベルト・エーコ（一九三二―二〇一六）に『前日島』という、アリューシャン列島に近い地域が舞台となった小説があった。

さて、沖縄はどのように語ることができるだろうか。本を読んだり、日記を書いたり、歩行したり、航海したりする。中心と不在のあいだに見えてくるテクストの解釈も、そうした方法によって、なしとげられた旅であろうか。文化人類学に関心をもつ藤沢高治の『南島周遊誌』（晶文社）は、金子光晴や山之口獏や田村隆一の詩を引用しつつ、多様な海への精神と相対しながら、実態の航海をした。旅の経験からくる人間の生命のうずきを表現したものだ。梅原猛（一九二五－二〇一九）は、「日本の原郷」を「熊野」の山と海に見た。そのことが、南島の「オキナワ」と北方論の「アイヌ」を同一の視線でつなぐ研究へとおもむかせた。そして、東北のテキストは二年もあれば渉猟できるが、沖縄はその時間では不可能だったことを力説する。

まことに、沖縄は多様なテキストの複合体である。

太陽、海、島、船、石垣、家、屋根、獅子、樹、男たち、女たち、踊り、唄、祭り、琉装、壷、闘牛、拝所、墓、宗教、そして言葉、古代の声。

人々の住むすぐ隣に、神がいて、死者がいる。道標もなく、地図もない。

島と島、土地と土地のあいだには、連続性とは呼び難い共時性をもつのが沖縄的空間だ。シャーマンやニライカナイや「おもろそうし」には、専門の研究が多種あるだろう。沖縄は、大和朝廷成立以前の村国の儀礼と心性を保持している。そこには、日琉双方の古代生活にまたがって存在する「琉球の宗教」があった。いま、多様な宗教の共存が、沖縄の聖なるものの中心と分裂を見せている。八丈島では、沖縄と同じような闘牛を見た。東京からの都市文明の侵入によって、沖縄の思考や知識や生活習慣にも分裂がある。共同墓地にあらわれる死の現前性は、他界信仰との親近性をつよく感じさせる。折口信夫は、水の神が女として宮廷に入る事実から、「水の女」「貴種誕生と産湯の信仰と」「大嘗祭の本義」により、男女の対幻想が古代天皇制と合体する大嘗祭の本質を分析した。そこには、日本の先住民族の海の彼方からくる神と天‐山からくる神の二種の異郷（妣（母）が国）への仮説がもられている。

それは若きミッシェル・ビュトールが『中心と不在のあいだ　都市と世界と』（清水徹訳）に示している、よるべきヨーロッパ精神の中心の喪失と、内部の核の崩壊に瀕していた後に外部の踏査である過去内省の「エジプト」のなかに発見した、「土地の精霊」に等しいものであったろう。

4　新南島論と吉増剛造

あるとき、法政大学の岡村民夫氏の主催で「上映トークショウ　新南島論」が開催された。その日、『チェンバレンの厨子甕《ずしがめ》』（港千尋監督）と『島ノ唄　Thousands of Island』（伊藤憲監督）の二本の映画が上映された。「沖縄」を「外」や「内」からではなく、「あいだ」としての映像表現から問い直す試みである。この『島ノ唄』こそ、『折口信夫論』

をまとめた頃から奄美や沖縄に関心をもち、実際に何度か南島を訪れた、吉増剛造自身によるドキュメンタリー映像である。奄美諸島や島尾ミホとの出会いから、沖縄の自然や浜辺、島、石垣、民家、洞窟、密林、そこに生きる人々や三線《さんしん》や唄と踊りの映像にくわえて、船の上からしきりにカメラのシャッターを切る。詩人の姿は印象的だ。

上映の後、後に『風景論　変貌する地球と日本の記憶』（中央公論新社）を書く港千尋や伊藤憲氏、ゼミの学生たちに混ざって食事会が終ると、スニーカー姿の詩人は、カメラを首につるし、冬の都会を、かろやかに去って行った。

〝何処にもない木〟は、適地をもとめてさ迷った。〝茎〟をさがし〝根〟をもとめ〝葛〟にあこがれ……。それが芭蕉の〝何の木〟か、蕪村の〝薬掘り〟か、折口さんの〝踏みしだかれて、色あたらし〟の、その〝色〟なのか、わたしには判らない。判らないのだが、もとめて〝さ迷う〟〝心〟の〝色〟が、胸に種子が、吹き寄せられて来るように、次第に、いっぱいになって来て居た。適地はない。何処にもない。

この宇宙の〝外〟にも〝内〟にも、きっと適地はない、と〝俳句〟も〝歌〟〝詩〟も、かなしそうに、啼いているように、わたくしには聞こえていた。大切な（ここそ適地だ！）〝雑誌〟の〝地〟に、乱暴な傷を作ってしまって、お詫びをします。この〝俳力の子〟が、〝廃星の子〟が〝地〟や〝地を〟と叩いていた。そこを〝適地〟と〝雨〟が〝音〟たてて、落ちて来て居た。

（吉増剛造「適地はない」『何処にもない木』）

いまは三山の国がひとつになったが、それぞれの国には、山北の今帰仁グスク、中山の首里城や浦添グスク、山南の島添大里や南山のグスクなどの城《グスク》がある。海に出かける男たちは、海の潮の流れや天候とともに源為朝伝説を語り、平家の落人伝説を語った。東方にあるという普陀山は、中国の浙江省、杭州湾沖の舟山群島にある小島である。観音信仰の霊場は、唐代にはじまるインドの観音霊場補陀落にならったものだ。川村湊が観音信仰の旅として書いた『補陀落』では、中国の海岸から台湾、沖縄、九州と伝わる媽祖信仰が地図に掲載されている。関帝廟で知られる横浜中華街の、南の朱雀門を入る。左手に横浜媽祖廟が開設されて、整備されていた。媽祖信仰は、華僑の人々の航海の安全を守護する記憶とつながる海の神様を意味していた。日本の海岸にある海上安全や大漁満足を祈願する、舟守地蔵に似ている。

すでに逝去して久しいが、詩人松永伍一（一九三〇－二〇〇八）は、小林秀雄や吉本隆明の『実朝論』を読んで、『実朝游魂』を書いた。そこで強調されているのは、実朝の渡宋願望の背後に、確かな観音信仰があったということである。中野孝次（一九二五－

二〇〇四）の第一評論は、『実朝考　ホモ・レリギオーズスの文学』である。辻邦生（一九二五－一九九九）は『西行花伝』を上梓した。その後体調を崩していたが、そうしたなかでも、三浦半島につよい関心をもつと、ノートにはメモがとられ、次の執筆作品の準備がなされていた。そのテーマは、実現することはなかった源実朝である。

実朝が願望した宋の国は東シナ海の彼方にあったが、さらにその西方にはインド（天竺）があった。栄西は唐にわたると、西域からインドへの渡航をくわだてたが、はたせなかった。

沖縄からでさえ、インドははるか遠くだった。『華厳経』には、故郷としての海が描かれている。沖縄をめぐる地域は、縄文期を中心とする環日本海文明と、弥生期の稲作とかかわる環東シナ海文明のふたつの海の文明を基盤としていた。『華厳経』の成立の故郷は、南シナ海に隣接する無限に広がる海であった。インドのデカン高原の西方の海こそ、人間巡礼の善財童子で知られる「入法界品」における「海印三昧」の場所である。『華厳経』は、インドからはるかな砂漠地帯の中央アジアでまとめられ、編纂された仏典である。西域をわたって中国に入り、中国と朝鮮と日本列島とのあいだの東シナ海にふたたび出会うことによって、グローバルサウスを包含する海の思想がよみがえる。

すべてを飲み込む海こそ、人間の主観性を突破して、その深広な根源性を開示していく。時にはやさしく、時には激しく流動する闘の流れであった。

5　海上の道

那覇市にある沖縄タイムス・ホールは、かつて、沖縄の那覇市を舞台に、南方論と都市論が相互補完的に国家をいかに超えるかが問われたシンポジウムが、開催された場所である。『琉球孤の喚起力と南島論』という書籍にまとめられた。問題は、沖縄がもっている根源的で豊かな批評性だ。

琉球王国として、沖縄とその島々は、独自の海洋民族的な文化をはぐくんできた。中国大陸と台湾と日本列島のあいだに存在するひとつの文化である。文化と精神の古層には、原日本の面影がある。東北やアイヌ文化との類似性も強調された。司馬遼太郎は『街道をゆく』を執筆するために那覇市を訪れると、まず、島尾敏雄に会った。伊東静雄（一九〇六―一九五三）の弟子であったヤポネシア論の作家は、いまや柳田國男の文体に近づいていた。

ふたりのあいだでは、戦争体験の話は意識的に避けられた。その代わり、琉球弧や原日本の南島について、おだやかな意見が交わされた。会談後の司馬遼太郎は、画家の須田剋太（一九〇六―一九九〇）といっしょに、沖縄本島から周囲の島々へとわたっていった。

柳田國男全集の第一巻に網羅されたものを見れば、編者の意図は明瞭である。「瑞西《スイス》に寂しい朝夕を送っていた頃、私がしきりに夢を描いていたのは、海を学問の舞台にしてみたいということであった」と柳田國男は書いている。『海上の道』からはじまり、第一巻には『海南小記』や『島の人生』が収められた。九州の岬や海岸から沖縄の島々をめぐる紀行のなかで、九州に滞在しているあいだでさえも、沖縄に関心をむけて資料を調べていた。

柳田國男の発見した沖縄は、日本本土ではすでに失われた、古い生活として文化の層である。「有形文化」と「言語芸術」と「心意伝承」の民俗的な事物をもつ場所だという確信があった。濱田庄司や、後から確認にはいった柳宗悦の視線は、この多様で色鮮やかな「有形文化」の民藝を探索し、収集する生産にあった。柳田國男や折口信夫は、民俗学という新しい学問が切り開いた、眼に見えるものと眼に見えない「心意伝承」への想像力とともに駆使した。島は、詩人的直観と感性に裏付けられて探求された、事物の宝庫である。晩年、毎年のように、沖縄の巫覡《ふげき》（シャーマニズム）を踏査していた櫻井徳太郎（一九一七―二〇〇七）は柳田國男の最後の弟子だが、この沖縄の蒼い海と白砂の色に魅せられていた。

しかし、この琉球孤といわれる地域は、歴史的に見れば、あきらかに中国という大陸の文化と政治の影響を受けている。また日本列島との、特に薩摩との政治的な桎梏の二重構造の軋轢のなかにあった。薩摩は、サトウキビの栽培によって、奄美諸島一帯を支配した。沖縄本島と、周囲に点在する宮古をはじめとする島々は、本島の薩摩からのつよい影響を免れることができなかった。

大学時代の議論相手の先輩に、金城という歌の上手な男性がいた。小柄ではあるが骨太の容姿の男性だ。歴史の古い宮古や八重山の島々が、民俗的な唄の宝庫であるにもかかわらず、暗い唄が多い事実にも想像がつく。

ガソリン代が高騰すれば、沖縄本島から島々への飛行機や船の便も頻繁には行けなくなるだろう。米軍の駐留による事件も、あとを絶たなかった。

6　ニライカナイと尾道

タクシーは飛行場にむかって、海沿いの道をひたすら走りつづけた。多くの旅人を魅了する白い珊瑚礁が、空の青さを反射している。焼け野原から出発したニースに生まれたイブ・クライン（一九二八―一九六二）の造形は、宇宙空間へと通するブルーをめざした。

車を止めて、青い宇宙へとつながる沖縄のマリンブルーの海をふたたび見る。ふりそそぐ順光線から、アジアの大洋の海の青が見える。島にアフリカの草原が見えるようだ。折口信夫は、「何ゆえ日本人は旅をしたか」と志摩・熊野から沖縄へと旅を重ねた。「水の存在は、大地より以前に存在した」(『聖と俗　宗教なるものの本質について』)と、ミルチャ・エリアーデ(一九〇七―一九八四)は書いている。

水は象徴的な意味を内包し、世界は水によって、形がととのえられる。この水の「現前」を失われゆく時間層のイマージュのなかで、よりよく見えるようにする。この世界では、水は超越的なものを表象することができた。海のむこうは、「ニライカナイ」であり、観音浄土の地である。その海から、鳥が飛んでくる。鳥は、稲を嘴にたずさえてやってきた。それは神に近い存在だった。その神を祭る場所こそ、岩場の群れであり、あらゆるものに神を見る人間のアニミズムの心性である。『沖縄の祖神　アマミク』(外間守善・桑原重美)に書かれた、シャーマンとしての女性たちである。水は可能性のすべてを抱合している。能呂《ノロ》(祝女)は、地や火よりも水性を好む。水は一切の存在可能性の源泉である。創造とは、水のなかから顕現してくる、フラクタルな海岸線や島の影であった。ひとたび水中に沈むと、無形態へと回帰する。海底からの浮上は、宇宙創造の再現だった。原初的で、居ごこちのよい水こそ、死と再生の根源として、人間が生まれはじめた場所、常闇、死の国である。

人は生まれては死に、死んでは生まれかわる。そのようにして、沖縄の種として生きつづけてきた、円環と変貌を繰り返す命のつながりがある。

「そうしてくり返すということ、ぐるぐるまわるということには、無限性という宗教の極致であり、永遠とか不滅とかいうものへの願望を、こうした実践によって示しているわけで、これが巡礼という形になって表れているのです」と、五来重（一九〇八―一九九三）は「宗教と無限性」のなかで書いている。現象としてのささやかな生は、差異と連続の反復となって輪廻転生を繰り返す生命そのものだ。四大元素によって生命がふたたび生じる神話は、沖縄にあっては、風葬による洗骨をはじめ、独特の葬送儀式に描かれる。神話は現代と結びつく。その輪廻転生の場所は、アジア的かつアフリカ的に歴史の基層を遡行しうる海辺の砂地や海岸の草原へとつづく聖なる巡礼の岩場であった。

生まれ生まれ生まれ生まれて生の始めに暗く
死に死に死に死んで死の終わりに冥し

（空海「秘蔵宝鑰」宮坂宥勝訳註『空海コレクション』）

小林秀雄は、文藝春秋の講演会で、水上勉（一九一九―二〇〇四）と沖縄を訪れている。

沖縄について、小林秀雄はほとんど何も書いてはいない。水上勉は「骨壷の話」を書いた。生前、濱田庄司にみずからの骨壷を作らせていたのは志賀直哉である。青山二郎の骨壺は加藤唐九郎（一八九七―一九八五）が焼いた。

渋谷の常盤松の志賀直哉の家を、散歩しながら探したことがある。作家は、海の見える熱海から東京に引っ越してきたのだ。志賀直哉の家の玄関は、現在は張り紙がしてあり、通用門としては使用されていなかった。裏手が二階建てになっているのだろうか。車庫と入り口が見えた。

京都から新幹線に乗って、福山で在来線に乗りかえたことがある。志賀直哉は父親との確執に疲れ、東京を脱出する。最初は海の見える、あたたかそうな土地を考えて、伊豆大島か伊勢の鳥羽にいく予定だった。しかし、後輩や尾道出身の旅館のおかみにすすめられると、瀬戸内海の尾道にやってくる。船に乗って、近くの島々を見てまわった後、海風の吹き上げてくる本土側にあった、南に面した棟割長屋に居を定めた。

眼下には、あたかもしずかな地中海と見まごう、穏やかな瀬戸内の尾道水道がよこたわっていた。人々が通勤や買い物に、ヴェネツィアのように船で水路をわたっている。

六時になると上の千光寺で刻の鐘をつく。ごーんとなると直ぐゴーンと反響がひとつ、またひとつ、またひとつ、それが遠くから帰って来る。そのころから、昼間は向かい島の山と山との間にちょっと頭を見せている百貫島の燈台が光りだす。それはピカリと光ってまた消える。造船所の銅を溶かしたような火が水に映りだす。

十時になると多度津通いの連絡船が汽笛をならしながら帰って来る。艫の赤と緑の灯り、甲板の黄色く見える電燈、それらを美しい縄でも振るように水に映しながら進んで来る。もう市からはなんの騒がしい音も聞こえなくなって、船頭たちのする高話の声が手に取るように彼の所まで聞こえて来る。

（志賀直哉『暗夜行路』）


志賀直哉が尾道に居を定めたのは、二十九歳のときだった。

この大正元年（一九一二）という時期は、柳田國男がフレーザー（一八五四－一九四一）の『金枝篇』を読んでおり、折口信夫は熊野への旅に赴いているときだ。尾道には、いくつかの骨董屋があるが、当時は瓢箪の収集が人気だった。志賀直哉は「清兵衛と瓢箪」という短編をひとつ書き、長編『暗夜行路』の構想を固めている。彼の三軒長屋を取材する本多秋五（一九〇八－二〇〇一）や平野謙（一九〇七－一九七八）、藤枝静男（一九〇七－一九九三）が写っている写真がある。

内村鑑三の弟子であった若き日の志賀直哉が歩んだ道とは、私たち自身の航海のようなものであったろうか。あるいは巡礼といえる「暗夜行路」であったろうか。「私と東洋美術」というエッセイによると、志賀直哉が東洋美術に関心をもち、精神の安らぎを感じるようになるのも、大正一、二年の尾道に住んでいた前後である。志賀直哉の梅原龍三郎やマチスへの関心は、そのまま小林秀雄らに受け継がれた。

人はあそんでいるうちに学ぶという、小林秀雄の言葉が甦ってくる。「ここに一つの世界が幕を下ろして姿を消し、次の世界が生まれる」という言葉は、出光美術館に飾られたルオー（一八七一－一九五八）の一枚の絵である。人の一生には限りがあるものとわかっているが、永遠をもとめる思いは同じだろう。ニライカナイの楽土から次の世界が輪廻によってこの土地にもやってくる、そんな願いとともに。

補遺　海の作家・ヘミングウェイの青春

永遠のモダン都市、パリ。

一九二〇年代のモダニズム文化が、多様に衝突する。国民国家の競争による第一次世界大戦が、凄惨な人間模様を見せた。その後、平和を願いつつも、中途半端に終わった国際連盟が発足した。ツァラ（一八三六―一九六三）がパリに到着する。ミロ（一八九三―一九八三）がピカソ（一八八一―一九七三）を訪ねる。サティ（一八六六―一九二五）の音楽もモジリアーニ（一八八四―一九二〇）の絵も、パリ市民は、新しい文化として反撥しつつ体験していた。奇異と新種の混交した文化生成の時代である。永遠のモダン都市、パリ。

そのパリに、ヘミングウェイが訪れる。

ひとりの異邦人の心が、パリとの内なる響き合いを起こす。この地で詩人から作家となり、やがて抑えがたい海へのあこがれに身を任せてゆくヘミングウェイの姿をスケッチして、本書の締めくくりとしたい。

もし君が幸運にも
青年時代にパリに住んだとすれば
きみが残りの人生をどこで過そうとも
パリはきみについてまわる
なぜならばパリは
移動祝祭日だからだ

——ある友へ　アーネスト・ヘミングウェイ　一九五〇年

（『移動祝祭日』福田陸太郎訳）

有名なプロローグではじまる『移動祝祭日』には、一九二一年から一九二六年までの、ヘミングウェイと妻ハドリーの過したパリの足跡が記されている。「貧乏でとても貧しかった昔のパリのことである」という文章は、ラブレーも住んだコントルスカルプ広場にちかいアパートメントを借りた、パリ滞在前期の話である。ヘミングウェイは、トロントのデイリースターやスターウィークリー紙に記事を送りながら、仕事場を借りて書く。仕事と旅行に明け暮れ、空腹とお金に翻弄されたのが、この時期のヘミングウェイだった。

その日々から三十年を経た一九五六年、『老人と海』により、ピュリッツァー賞につづき、ノーベル文学賞に輝いたヘミングウェイはパリのホテル・リッツに泊まった。そこで、鉛筆で書き込まれた青や黄色のノートブックと、タイプで打たれた短編やスケッチが詰め込まれた、二個の古びたスーツケースに再会した。一九二七年、パリを去るときにあずけたものが、長い年月を経て、そのまま持ち主のもとに戻ったのである。やがて、これらの原稿は、『移動祝祭日』の土台となった。

原稿の推敲は、ヘミングウェイが亡くなる前年の一九六一年までつづいた。スペイン、キューバ、アメリカのケチャムを移動しながらの時期だ。

それは、あたたかく、清潔で、親しみのある気持の良いカフェだった。私はコート掛けに私の古いレインコートをかけて乾かし、ベンチの上の方の帽子掛けに、自分のくたびれて色のさめたフェルト帽をかけ、カフェ・オ・レを注文した。ウェイターがそれをもってくると、私はコートのポケットからノートブックを出し、鉛筆をとり出して、書きはじめた。

（「サン・ミッシェル広場の良いカフェ」）

『移動祝祭日』には、異国のパリにうつろう青春を回顧するヘミングウェイのナラトロジーが、ポエジーある日本語で訳されている。

一九六四年四月、ヘミングウェイの死後にアメリカで出版されるやいなや、多くの反響があった。半年後には、福田陸太郎（一九一六―二〇〇六）の訳で日本でも翻訳が出版された。翻訳の網の目からもれて聞こえてくるヘミングウェイの声とそれを内在化して表現する福田隆太郎自身の声が伝わってくるようだ。私が持っているもう一冊の福田陸太郎の訳書がある。バーナード・リーチの『東と西を超えて　自伝的回想』だ。自ら詩集を出し、タゴールの詩も訳している訳者の、これもみごとな翻訳だ。福田陸太郎にはソルボンヌ大学にも留学した経験がある。「日本未来派」に属した詩と詩論に造詣のある英文学者であり、詩人であった。その意味で、パリの街は知悉するところである。また、『バーナード・リーチ詩画集』にも関わっていることは特筆に値する。

引用のつづきを読んでみよう。

そこには、移動するパリにいて、アメリカの故郷と少年期が回想されている。

私はミシガン湖畔について書いていた。その日は荒れた、寒い、風の吹く日だったので、物語の中でも、そういうふうな日になった。私はすでに少年時代、青年時代、それから大人になりかけの時代に、晩秋のやってくるのを見てきた。そのことについて、ある場所では、他の場所でよりも、うまく書けた。それは、自己を移植することと呼ぶのだ、と私は考えた。そのことは、人間にとっても、他の成長するものにとっても、同じくらい必要なことなのだ。しかし、物語の中では、少年たちは酒を飲んでいたので、そのため、私ものどがかわいてきて、ラム酒セント・ジェイムズを注文した。寒い日には、これはすばらしい味がした。で、私はとてもいい気持になり、この良いマルチニークのラム酒が私の全身と私の精神をあたためるのを感じながら、書きつづけた。

（同）

この時期、『三つの短編と十の詩』と『われらの時代』の出版や『移動祝祭日』の原稿はもとより、出世作となる『日はまた昇る』が書かれた。映画『キリマンジャロの雪』では、フロリダの南端のキー・ウェストに移り、そこでアフリカでの生活を追想した彼のパリの街と青春への回想が、効果的なフラッシュバックで表現されていた。

仕事への忠実さは、書くことに対する態度として表われる。若き日のヘミングウェイの作家としての熱情と苦悶は、書くことのなかにすべてがうかがわれる。

パリでは、多くの人たちに出会った。ジャズ・エイジである失われた世代は、迷える世代である。一九二五年には、フィッツジェラルドと会った。『移動祝祭日』の後半は、フィッツジェラルドについて多くをさいている。同世代の作家にたいするつよい関心と競争心をうかがわせるものだ。
当時、新興国のアメリカや、因襲的なアイルランドやスペインから、古いヨーロッパの伝統から自由な文化への憧れを抱いて、若者たちがパリにやってきた。第一次大戦後のドル高も経済的に影響していた。ガーシュイン（一八九八―一九三七）の「パリのアメリカ人」が街を歩いている。「異邦人《エトランジェ》たちのパリ」の時代である。日本人では、後にパリの北、ランスに永住した画家の藤田嗣治（一八八六―一九六八）がいた。

「あなた方はまさにその通りよ。まさにそうよ」とミス・スタインは言った。「戦争に出たあなた方若い人たちはみんな。あなた方は失われた世代《ジェネラシオン・ペルデュ》です」
（「〈失われた世代〉」）

一九二〇年代のパリでは、ガートルード・スタイン（一八七四―一九四六）、エズラ・パウンド、ジェイムズ・ジョイス（一八八二―一九四一）、T・S・エリオット、フィッツジェラルドなどの異邦人の群像が、ヨーロッパ・モダニズムに対するひとつの反響となって、最盛期を現出していた。スタインはドイツ系ユダヤ人として、アメリカに生まれた。当時、世界的な影響をあたえていたウィリアム・ジェイムズ（一八四二―一九一〇）に心理学を学び、フランスにわたる。ピカソやマチスなどのパトロンとなり、一九二〇年代の若い芸術家に影響をあたえた。ピカソには、彼女を描いた肖像画がある。彼女の作品では、『パリ　フランス　個人的回想』の邦訳が知られている。ヘミングウェイは、ハドリーのために、画商から若き日のミロの作品「農園」を購入した。ピカソもミロもスペイン人である。アメリカ人もアイルランド人も、そしてスペイン人も、パリにおいては、他者としての異邦人であり、新しい自由な芸術の仲間だった。

ヘミングウェイは作家をめざした。その文章修行時代には、もうひとり、詩人としてのヘミングウェイがいた。詩人の目でものを見、ものを書いていた時期と、『移動祝祭日』は重なるのだ。彼の詩は機会詩であり、風刺のつよい詩だった。簡潔で抑制の効いた集中力のある詩は、若きフォークナーとともに、同じ雑誌に掲載されたほどである。ヘミングウェイの死後、『全詩集』が出版された。ハーマン・メルヴィルやジェイムズ・ジョイスにも詩集がある。作家として名をなした小説家の詩については、あまり語られることがなかった。普段は忘れられがちであるそうした詩についても、もうすこし、とりあげられて紹介されてもよいと思う。

ヘミングウェイは、スタインやパウンドによる文章指導を受けた時期がある。生活を援助するスタインは、ヘミングウェイの報道記者の仕事に反対した。そして、彼の詩を評価した。逆にパウンドは、詩に関してはそれほど評価しなかったが、ヘミングウェイの散文に注目し、形容詞の削除をもとめた。ヘミングウェイの書くものは、しだいにへミングウェイその人を移植した文体となっていく。セーヌ河の近くにあったシェイクスピア書店から、ロシア文学の英訳本などの多くの本を借りて読んだ。当時パリで評価の上がってきた、手の込まない材料を利用する南仏プロヴァンスの画家セザンヌの画法から、簡潔な文体をきずいた痕跡もうかがえる。詩から散文へと変化する文体と表現技法。これらの影響を受けながら、ヘミングウェイは、芸術に生きる職人として、自己の文体を定着させ、作家としての存在を文章に移植しようとした。

エズラ・パウンドは、いつも良い友人だった。彼はしょっちゅう、ひとのために尽くしていた。彼が妻のドロシーと住んでいたノートルダム・デ・シャン街のアトリエ風の家は、非常に貧弱で、ガートルード・スタインのスタジオが豪華なのと好対照をなしていた。でも、たいへん採光がよく、ストーヴであたためられ、エズラの知人である日本人の画家たちの絵があった。

（「エズラ・パウンドとそのベル・エスプリ」）

一九二〇年代のパウンドの活躍は、当時のモダニズム運動のなかでも、今日にとりわけ大きな影響を残している。その最たるものが、T・S・エリオットの『荒地』の編集と、世に知られる添削である。そしてジェイムズ・ジョイスの『若い芸術家の肖像』から『ユリシーズ』の出版への援助であった。

『ユリシーズ』こそ、パリを舞台とするプルーストの『失われた時を求めて』と並び称される、プレ・シュルレアリスムの「意識の流れ」と「内的独白」の手法を駆使した作品だった。ユリシーズという固有名は、『アエネーイス』のウェルギリウスが生涯の模範とし、ゲーテがシチリアの旅で読みついだ、『オデュッセイア』の主人公オデュッセウスのラテン名である。ジョイスは、『オデュッセイア』のタイトルを各章に嵌めこんだ。丸谷才一、永川玲二、高松雄一の光彩によって、アトラクティブに高揚する訳が完結したのは、一九九七年のことである。

パウンドは、W・B・イェーツ（一八六五―一九三九）の秘書であった。アーネスト・フェノロサ（一八五三―一九〇八）との関係から、能の紹介者となり、日本や中国の文学からの影響を受けていたことも知られるところになった。


エズラは、私の知っている作家のうちで、最も寛容な最も私心のない人であった。彼は、自分が、信頼する詩人や画家や彫刻家を助けたし、自分が信頼していようがいまいが、困っている人がいればだれでも助けた。彼は皆のことを気にかけた。私が彼と初めて知合ったころは、T・S・エリオットのことで最も心配していた。エズラの話では、エリオットはロンドンの銀行で働かねばなら

ないので、詩人として活動するのに時間が足りず、また適当な時間も割けないのだ、とのことであった。（同）

一九二三年二月、ヘミングウェイ夫妻は、パウンドが住むジェノヴァ近くの港と坂の町であるラパーロを訪れた。フランスからイタリアに入るには南フランスの港から船に乗り、ジェノヴァの街に着く。そのとき、パウンド夫妻とともに、エミリア・ロマーニャ地方の古寺と風景を歩いて巡った。パウンドが『詩篇』を書きはじめる時期である。『ピサ詩篇』（新倉俊一訳）には、時代とむきあう詩人の姿と魂が描かれている。ヘミングウェイは、パウンドからエリオットの『荒地』をわたされると、その衒学的な詩の雰囲気にとまどった。しかし、アイルランドのジョイスの作品には、なみなみならない理解と関心をしめした。

多くの人々が、歴史の大きな物語である戦争や政争や革命に翻弄された。パウンドもそのひとりである。パウンドには、イタリアのファシズムとパルチザンに挟撃された人生のさまざまな逸話がある。野外の独房や医療テントへの収容体験、ワシントン郊外の精神病院での軟禁などである。一枚の肖像の写真が残っている。アンリ・カルティエ＝ブレッソンの『写真集成』のなかに、ヴェネツィアで撮られた「作家エズラ・パウンド」

を見つけたのだ。翌年に亡くなる彼の顔貌は、白髪で深いしわが刻まれている。まことに敗残のいちじるしい異様な顔だ。旅について告白して書くということは、黒いエクリチュールだ。しかし、旅によっては沈黙する白いエクリチュールもあるのだ。

パリでは、たっぷり食べないと、非常に空腹を感ずるのだった。というのは、どこのパン屋の店でも、ウィンドウにとてもおいしいものを並べていたし、人びとが外の歩道のテーブルに坐っているので、いやでもかれらの食べものが目につき、そのにおいをかぐことになったからである。新聞の仕事を止めてしまい、アメリカのだれもが買わないようなものばかり書いているとき、だれかと昼食で外で食べるという口実を家の者にして、さて出かけるとなると、一番良い場所はリュクサンブール公園だった。

（「飢えは良い修業だった」）

ヘミングウェイのパリを紹介するガイドブックがある。『ヘミングウェイと歩くパリ』（ジョン・リーランド著、高見浩編著）や『ヘミングウェイのパリ・ガイド』（今村楯夫著）である。ヘミングウェイが初めて妻ハドリーとともにパリへやってきたとき、持っていたガイドブックは、「四日でみるパリ」という本だった。白ぶどう酒やラム酒やビールも、パンとカフェ・オ・レやクリームコーヒーも、仕事で疲れ、歩くことでさらに空腹がましていたヘミングウェイには、とてもおいしそうに映った。土地の文化にとって、「喰いもの」という日本語の語感が大切だ。古代以来、東方から、ギリシアからシチリアを経て、ぶどうやオリーヴやパスタの文化が南イタリアのナポリへとやってきた。フィレンツェのメディチ家から、フランスのロワール地方に嫁いだカトリーヌ・ド・メディシス（一五一九－一五八九）は、フランスにイタリアの食と文化を伝えた。フランスに浸透するイタリアニズムの発祥である。

北のパリも、文化の交差点であると同時に、食の交差点である。

美しい夕ぐれだった。私は一日中、精を出して仕事をし、製材所の上の方にあるアパートを出て、材木を積んである中庭を通って、外へ出た。表のドアを閉め、通りを横切り、ブールヴァール・モンパルナスに面しているパン屋のうらの戸から入り、かまどや店に漂うこうばしいパンのにおいをかぎながら、外の通りへと出た。パン屋の店の中にはともしびがつき、外は、一日のくれ方であった。

（「ドームでパスキンと共に」）

パリのヘミングウェイは、詩人から作家へと変身した。作家としての世界には、ボクシングや釣り、猟銃や闘牛などの身体性を強度とする対象世界がパラレルに影響していた。そこにあるのが、「場所」と「身体」である。失われた世代は、『サイード自身が語るサイード』のように、国籍離脱者（故国喪失者）として、あるいは難民としての故郷喪失者の群像や故郷をもたないユダヤ人のディアスポラに比較されるのだ。動きながらも離れがたい、あたかも移動する祝祭日のようにつよい場所意識が、ヘミングウェイの生活と表現に見い出される。表現のなかには、エグザイルそのものが語られ、生活様式や観念の深層がクレオールに染まる。故郷喪失者たちは、移動する新たな場所を、精神の座から動詞的場所へと融合させなければならない。

先頃、『最後のゴーガン〈異国〉の変貌』（丹治恆次郎著）と『ヘミングウェイのキューバの日々』（ノルベルト・フェンテス著、宮下嶺夫訳）を読み通した。ふたりの姿には、共通するものがある。かつて、『全-世界論』（エドゥアール・グリッサン）や『クレオール主義』（今福龍太）などのクレオールや『カルチュラル・スタディーズ入門』（グレアム・ターナー）や『カルチュラル・スタディーズとの対話』（花田達朗・吉見俊哉・コリン・スパークス編）などのカルチュラル・スタディーズと連動する、『ポスト・コロニアルの文学』（ピル・アッシュクロフト+ガレス・グリフィス+ヘレン・ティフィン、木村茂雄訳）に見られるポスト・コロニアルのムーヴメントがあった。そこでは、「植民地主義とその現代に至るまでの余波」が問題となる。ゴーギャンとヘミングウェイのふたりが晩年に暮らした生活域の政治と文化と歴史が、新たな視点によって検討されるだろう。

ここにいて、ここにいない芸術家。移動しつつどこにもついてくる祝祭とは、つよい場所意識の反映である。ここにいないがかしこにいる「いま・ここ」の祝祭日を語る。その精神は、文化の混交やクレオールとなって、文化の交差点上に、はげしく、あるいは静かに精神の舞踏を体験するに違いない。

長男バンビの出産とともに、パパ・ヘミングウェイが誕生した。ヘミングウェイは、子供をつくるのが早すぎたと感じていた。リヨン駅で、ヘミングウェイの原稿の入ったバッグの盗難に遭ったハドリーとは、その後、難しい関係になっていた。そこから、ヘミングウェイのパリ後期がはじまる。二番目のアパートは、ノートルダム・デ・シャン通りに面していた。パウンドの家もすぐ近くにあった。

原稿を書きついでは書き直した。カフェ・クロズリー・デ・リラとヴァヴァン交差点の喧騒、そこは、多くのカフェやレストランが軒を競っている文化の街角である。カフェ・ドーム、カフェ・セレクト、カフェ・ロトンド、レストラン・クーポール……。へミングウェイがビールを飲むために、よく立ち寄ったカフェ・リップの店の風景とが重なる。

そんなパリの街とスペインのパンプローナの「祝祭」に生きた青春群像を、『日はまた昇る』では、「書きなおし」の技術を習得しつつ、ハードボイルド・タッチで描いた。ヘミングウェイは、この作品を書くことによって、最初の妻と友人たちの他、多くのものを失いつつ、かろうじて凱旋門のまえに立ちすくんでいた。

シュルンズは、仕事をするのに良い場所であった。今までやった中で一番むずかしい書きなおしの仕事をそこでしたから、私にはよくわかるのだ。それは一九二五年から一九二六年にかけての冬で、そのころ、私は六週間で一気呵成に書いておいた『日はまた昇る』の最初の原稿をとり上げて、それをちゃんとした小説にしなければならなかったのである。

（「パリに終りなし」）

場所を移動しながら書きつぐことで、何ものかをとりもどそうとする。そうした、自己を語ってやまない魂の出来事がある。そんな作家の知覚が、一九二〇年代の当時を、現実のあるがままの似姿に写しとった。その意味で、パリのヘミングウェイは、一九二〇年代のモダニズム文化の反響として、語りつがれたひとつの形象としての外伝の自己言及性を象徴的に語るものである。

ここまで死なずに生きてきたのだから、普遍的ななにものかについて語りたい――。そうヘミングウェイは、別れた妻ハドリーへの追想のなかに、詩の言葉を書き移した。そうしたポエジーを表現する散文には、哀切な思いとともに、ひとりのアメリカ的なエゴの姿が、文章のリズムとエクリチュールの背後に描かれている。

時計の針をもとに戻すたびに感ぜられる、彼のつよい場所意識がある。しかし、すでにパリは遠い存在となっているという現実感と、変転する人生の不思議な戸惑いをあらためて心のなかに問わずにはいられない。

パリにドル高を背景にしたアメリカ人の滞在が盛んだった頃、日本においては、「都市と造詣のモンタージュ」が見られる一九二〇年代があった。

第一次大戦による投機ブームがあり、戦後恐慌のきざしも見えはじめた。

そして、一九二三年の秋には関東大震災に見舞われた。浅草の陵雲閣は半壊し、上野では大仏の首が落ち、鎌倉では鶴岡八幡宮の舞殿が倒壊した。三崎港や須崎には六メートルも八メートルもの津波が押し寄せた。燃える街々。死者は六万人に達した。箱根に滞在していた谷崎潤一郎はそのまま京都を目指した。東京の菊池寛（一八八八―一九四八）

も、一時は大阪へ引っ越すことを真剣に考えたほどである。その後数年間、関東では、際立った文芸作品が生まれなかった。

この頃永井荷風は、恩師の森鷗外の死去を受け、江戸・東京の風景を惜しむように『下谷叢話』を書く。母方の祖父である鷲津毅堂（一八二五―一八八二）を取り巻く江戸末期から維新期の漢詩人について、追想の文章を綴ったのである。

江戸時代は、現代の日本人にとって、「私たちがとても貧乏でとても楽しかった昔のパリのことである」と書いた、ヘミングウェイのパリ時代に等しいのかもしれない。


パリには決して終りがない。そこに住んだ人の思い出は、他のだれの思い出ともちがう。私たちは常にパリへ帰った。その私たちというのが、だれであったにせよ、また、どんなにパリが変わったにせよ、あるいは、どんなに苦労して、または、どんなに容易に、パリへもどれたにしても。パリは常にその値打があった。きみがそこへ何をもって行っても、そのお返しを受けるのだった。だが、これは、私たちがとても貧乏でとても楽しかった昔のパリのことである。

（同）

ヘミングウェイの青春期の成熟から、晩年の終焉と死の時期をたどってみる。現代の生活にすっぽりとつかった私たちからすれば、展開、転換、回復、再生が重要な焦点となってくる。そのうちの終焉と死は、かつてだれもがまぬがれえなかった事項である。これらの概念を、具体的な人生の痕跡としてたどることができるのは、ヘミングウェイの文学の魅力であるといっていい。そこにある証明が、晩年に書きついだパリ巡礼の『移動祝祭日』だ。

パリ滞在の後期も終りに近づくと、ヘミングウェイの周囲には、金持ちの顔をした人種が集まっていた。お金目あての人間も集まってきた。すでに、スタインやフィッツジェラルドとは別れていた。一九二七年にはハドリーと別居する。

成長するヘミングウェイにとって、パリは成熟する場所だった。しかし、ひとつの青春の終焉も、パリを離れる移動とともにやってきた。大恐慌でドル安となったパリでは、いままでのようには生活が回らなくなった。アメリカでは、失われた世代の帰還現象が起きた。けれども、ひとたび故郷を喪失した彼らのみなが、故郷へと精神的に凱旋できる話ではなかった。そこに故郷喪失の入れ子的反復があり復元不能な閾がひとつの終焉としてあった。その終りから新たな出発がはじまるとしても、それがどういうものになって変質しているのか、本人たちも知るすべがない。

ヘミングウェイは、フロリダの南端のキー・ウェストに生活の拠点を移す。そこには広大な青い海と、太陽の燦々と降りしきる光線があった。そこで書かれたのが、国籍離脱をした遊民たちのパリの街と、ケニアの草原での狩猟であり、彼方に高くそびえる雪を被った「キリマンジャロの雪」である。

アメリカ最南端ともいえる、椰子の木陰とスマザース・ビーチの海岸があるキーウェストへの道は、アメリカ北東部から連なる国道一号線である。フロリダ半島からその先端である島々が、転々と飛び石のように連なり、橋で結ばれた島々をハイウェイが走る。かつて島伝いに汽車でやってきた作家のドス＝パソス（一八九六―一九七〇）の勧めで、ヘミングウェイは、父の死や再婚したポーリーンの出産の経験を生かしながら、「武器よさらば」を書き継いだ。

フラヌール（遊歩民）であるヘミングウェイの文学地図は、『われらの時代』のアメリカの中西部、『日はまた昇る』や『移動祝祭日』のパリ、『誰がために鐘はなる』のマドリッド、『武器よさらば』や『河を渡って木立の中へ』のイタリア北部やヴェネツィアからスイス、『キリマンジャロの雪』のケニア、メキシコ湾の北回帰線を境界としたキー・ウェストや、『老人と海』や『海流のなかの島々』のハバナ、コヒマル、サンフランシスコ・デ・パウラであった。

そのなかに、第一次大戦のイタリア戦線、スペイン内乱と市民戦争、日中戦争、英国空軍への志願、ノルマンディ上陸作戦からパリへの凱旋、キューバでの生活と、ヘミングウェイの活動的な作家人生があった。

　キー・ウェストでは、男性誌「エスクァイア」に海のエッセイを書いた。一九三〇年代の不況になると、時代は社会主義的な傾向が強くなった。ヘミングウェイは、「臆病」「鈍牛」「反知性」「内面性の欠如」などという批判にさらされながらも、創作活動と私生活の混沌に身を投げ入れていた。その後、キューバに移り住む頃、ノーベル賞を受賞する。ヘミングウェイは、島の漁民を愛した。そして、クレオールのカソリックの教会に詣でた。受賞したメダルは教会に飾られたまま、いまもそこにある。晩年は、アメリカのミシガン州のケチャムで、精神的な悲痛に満ちた、墓のように深い疲労の生活であった。だが、島の漁民とともにモヒートを飲みながら、遠くの海を眺めて瞑想しているヘミングウェイの姿は、イタリア北部を「沿岸航海《ペリプルム》」するパウンドに似て、どこかしら「永遠」の相を感じさせる。

パリのセーヌ川をバトウ・ムーシュが走る。

ヴェネツィアのカナル・グランデをヴァポレットが走る。

海の都市には、運河と建物のあいだをカッレの小道が走る。

突き当たりの狭いカンポの広場には、聖母マリアの像が置かれていた。

マリア信仰は、地中海を中心とする地母神信仰である。

ニューヨークの海辺で黄色いタクシーが迂回してゆっくりと動き出す。

東アジアの半島や島。

観音や阿弥陀や地蔵の信仰とともに、イメージの円環がある。

ヨーロッパのように、日本の海やまのあいだにも、巡礼者の道があった。

巡礼では、出発と終着のあいだの身体の歩行は、空間と時間を超越する。人間の精神が身体とともに出発し、聖なる巡礼の場所が交差する。記憶が終着するのは、空の星となる時空だ。それらの時空をつなぐ作用が、太陽の昼や月や星の夜の影を映す占星術と、青い海原と砕ける白い波の海の思想である。

前世紀の九〇年代から二〇一〇年にかけて、仕事をしながら時間の空白が訪れると、私は旅に出た。

はたから見れば、時代錯誤の悠長な振る舞いに思えたかも知れない。が、私にとって旅こそは、仕事という限定された場所から受ける重圧感のなかで、作動しつづけていた精神と身体の唯一の自由な時空だった。忙しさからのがれられない現代人には、旅の非日常性によって、普通の速さで歌うような（モデラート・カンタービレの）歩みもようやく可能になる、そう思いたい。

ヨーロッパは、パリと周辺のイル・ド・フランスからロンドンとヴェネツィアの都市に滞在し、仕事でのニューヨークの訪問が加えられた。日本では、紀伊勝浦と熊野や鎌倉、沖縄のへりや閾が舞台である。

私は、ヨーロッパの都市と日本の半島や島を通して、何を考えようとしたのだろうか。

原初性としての水や海とともに、都市を超える精神や、半島や島を超える身体があった。中世や現代都市の重層性が国家を超え、アジア的な半島や島の海洋の基層が、歴史としての国家を超える視点があることを学んだ。日本では、背後にある南島論や北方論の意味を、歴史や文化や文学のなかに考察したいという思いが、かつてのアドルノがミニマリストであったように全体性への不信とともに文章を綴らせている。

すでに、一九二〇年代における文化の世界的交流を描いた『一九二〇年代の東京』を上梓したばかりだ。最終章は、晩年のヘミングウェイが記憶をノートから想起した「移動祝祭日」に関する紀行文である。各エッセイの文章を綴るのと同時に、私はヘミングウェイのパリでの活動の記憶を読むことから出発したのだ。

これらのエッセイは、私の身体の移動と相まって、思い出となった都市や半島や南島についての文化の摩擦を融解させ、円環する海や水の記憶とともに思索した文章である。ヴェネツィアでは、いったんは横たわってしまったと思われた私の海馬が、なんとか海のなかの島の病院で、水平と垂直を取り戻すことができた。生と死からの再生の物語に等しかった海の都市の旅である。

現代の私の巡礼は内的な旅とはいうものの、過去への旅行記に対する率直な批判もあるかも知れない。特に、現代の都市をめぐっては、文明批判への新しい思想の創造が必要だと思われる。多くの人が訪れている、いまだに遠くにあるイスタンブールやモスクワ、インドや北京などの都市と辺境は、訪れることができなかった。東西の冷戦構造の終焉がもたらす世界的内戦の現在進行形にあって、時代や社会をやや横目で見やるようだが、「海の思想」の存在から思索する身体性に注視するときに、批評そのものが遠くならないように、「海への巡礼」の視点をいつでも直覚にさせていく必要がある。

本書の成立に関して、菊井崇史氏には心からお礼を申し述べたい。また、左右社の小柳学社長には出版の労を快く引き受けていただいた。担当の東辻浩太郎氏には、全般にわたる貴重な意見をいただくことができ、改めて感謝の気持ちを伝えたいと思う。

ここ二年ほど、コロナによって海外や国内を旅行することも控えざるを得ない。そうした環境に追い打ちをかけるように、ウクライナへのロシアの侵攻の問題が勃発した。毎日のニュースは、コロナと戦禍の二重拘束を余儀なくされた、市民社会の姿を繰り返し報じている。さらには、地震から余儀なくされる避難生活、たびたびの自然災害。深刻な家族問題。そこに映し出される市民生活の一コマ一コマにストレスが満ち、生活自体が縮小されている。

私の思い出が、ささやかではあるが、多くの人の内的な慰謝となり、それぞれの旅が円環する記憶というものの想起体験と重なることを願っている。

二〇二三年四月八日記　岡本勝人

参考文献

1　モン・サン＝ミッシェル

饗庭孝男『絶対への渇望　外国文学・思想論集』（勁草書房、一九七二年）
饗庭孝男『ヨーロッパ古寺巡礼』（新潮社、一九九五年）
飯島耕一『シュルレアリスムという伝説』（みすず書房、一九九二年）
江藤淳『漱石とアーサー王傳説　『薤露行』の比較文學的研究』（東京大学出版会、一九七五年）
木島俊介『美しき時禱書の世界　ヨーロッパ中世の四季』（中央公論社、一九九五年）
J・グルニエ『孤島』（井上究一郎訳、竹内書店、一九六八年）
P・コエーリョ『星の巡礼』（山川紘矢・山川亜希子訳、角川文庫、一九九八年）
小林秀雄『小林秀雄全作品22　近代絵画』（新潮社、二〇〇四年）
小林康夫『光のオペラ』（筑摩書房、一九九四年）
中央大学人文科学研究所編『ケルト8　伝統と民俗の想像力』（中央大学出版部、一九九一年）
中央大学人文科学研究所編『ケルト16　生と死の変容』（中央大学出版部、一九九六年）
G・チョーサー『カンタベリ物語』（西脇順三郎訳、ちくま文庫、一九八七年）
辻井喬・鶴岡真弓『ケルトの風に吹かれて　西欧の基層とやまとの出会い』（北沢図書出版、一九九四年）
鶴岡真弓『ケルト／装飾的思考』（ちくま学芸文庫、一九九三年）
西脇順三郎『古代文學序説　幻影の人』（好学社、一九四八年）
西脇順三郎『西脇順三郎詩集』（那珂太郎編、岩波文庫、一九九一年）

T・G・E・パウエル『ケルト人の世界』（笹田公明訳、東京書籍、一九九〇年）
G・バシュラール『空と夢　運動の想像力にかんする試論』（宇佐見英治訳、法政大学出版局、一九六八年）
蓮實重彥『凡庸な芸術家の肖像』（ちくま学芸文庫、一九九五年）
A・ピエール・ド・マンディアルグ『城の中のイギリス人』（澁澤龍彥訳、一九八二年）
M・プルースト『失われた時を求めて』
「スワン家の方へI・II」（鈴木道彥訳、集英社文庫、二〇〇六年）
「花咲く乙女たちのかげにI・II」（鈴木道彥訳、集英社文庫、二〇〇六年）
「見出された時I・II」（鈴木道彥訳、集英社文庫、二〇〇七年）
J・ベディエ編『トリスタン・イズー物語』（佐藤輝夫訳、岩波文庫、一九八五年）
E・A・ポオ『ユリイカ』（八木敏雄訳、岩波文庫、二〇〇八年）
ボオドレール『悪の華』（鈴木信太郎訳、岩波文庫、一九六一年）
A・ポーフィレ編注『聖杯の探索　作者不詳・中世フランス語散文物語』（天沢退二郎訳、人文書院、一九九四年）
堀淳一『ケルトの残照　ブルターニュ、ハルシュタット、ラ・テーヌ心象紀行』（東京書籍、一九九一年）
堀江敏幸『郊外へ』（白水社、一九九五年）
堀江敏幸『熊の敷石』（講談社、二〇〇一年）
J・ミルトン『失楽園』（平井正穂訳、岩波文庫、一九八一年）
村上春樹『波の絵、波の話』（写真＝稲越功一、文藝春秋、一九八四年）
村上春樹『アトス　神様のリアル・ワールド』（写真＝松村映三、新潮社、一九九〇年）
村上春樹『使いみちのない風景』（写真＝稲越功一、中公文庫、一九九八年）
J・レダ『パリの廃墟』（堀江敏幸訳、みすず書房、二〇〇一年）
『古事記』（倉野憲司校注、岩波文庫、一九六三年）
『パリ周辺　イール＝ド＝フランス』（フランス・ミシュランタイヤ社、日本語版＝実業之日本社、一九九五年）

J・アングルス『わたしの日付変更線』（思潮社、二〇一六年）
飯島耕一『詩集 next』（河出書房、一九七七年）
飯島耕一『宮古』（青土社、一九七九年）
飯島耕一『アメリカ』（思潮社、二〇〇四年）
今村楯夫『ヘミングウェイのパリ・ガイド』（写真＝小野規、小学館、一九九八年）
今村楯夫『ヘミングウェイの海』（写真＝和田悟、求龍堂、一九九五年）
E・サイード『オリエンタリズム』（板垣雄三・杉田英明監修、今沢紀子訳、平凡社、一九八六年）
E・サイード『知識人とは何か』（大橋洋一訳、平凡社、一九九五年）
E・サイード『遠い場所の記憶　自伝』（中野真紀子訳、みすず書房、二〇〇一年）
E・サイード、T・アリ『サイード自身が語るサイード』（大橋洋一訳、紀伊國屋書店、二〇〇六年）
E・サイード『晩年のスタイル』（大橋洋一訳、岩波書店、二〇〇七年）
大竹新助『暗夜行路・写真譜』（青蛙房、一九六三年）
河邨文一郎『ニューヨーク詩集』（思潮社、二〇〇二年）
U・サバ『ウンベルト・サバ詩集』（須賀敦子訳、みすず書房、一九九八年）
志賀直哉『樹下美人』（河出書房、一九五九年）
新川和江『新川和江全詩集』（花神社、二〇〇〇年）
新川和江『人体詩抄』（甲斐清子画、玲風書房、二〇〇五年）
高見浩『ヘミングウェイの源流を求めて』（飛鳥新社、二〇〇二年）
田村隆一『狐の手袋』（新潮社、一九九五年）
田村隆一『１９９９』（集英社、一九九八年）

中川一政『我思古人』（講談社文芸文庫、一九九〇年）
西脇順三郎『近代の寓話』（創元社、一九五三年）
西脇順三郎『西脇順三郎の絵画』（恒文社、一九八二年）
E・パウンド『ピサ詩篇』（新倉俊一訳、みすず書房、二〇〇四年）
E・パウンド『エズラ・パウンド詩集』（新倉俊一訳、角川書店、一九七六年）
T・ヒューズ『誕生日の手紙』（野仲美弥子訳、書肆青樹社、二〇〇三年）
T・ヒューズ『テド・ヒューズ詩集』（片瀬博子編訳、土曜美術社、一九八二年）
M・プルースト『失われた時を求めて』「逃げ去る女」（鈴木道彦訳、集英社、二〇〇七年）
J・ブロツキー『ヴェネツィア　水の迷宮の夢』（金関寿夫訳、集英社、一九九六年）
H・ヘミングウェイ『移動祝祭日』（福田陸太郎訳、岩波同時代ライブラリー、一九九〇年）
J・リーランド『ヘミングウェイと歩くパリ』（高見浩編訳、新潮社、一九九四年）
M・ロヴリック、M・バーリア『ヴェネツィアの薔薇』（富士川義之訳、集英社、二〇〇二年）
矢作俊彦『ライオンを夢見る』（写真＝安珠、東京書籍、二〇〇四年）
吉田熙生編『新潮日本文学アルバム31　小林秀雄』（新潮社、一九八六年）
吉田熙生編『レクイエム　小林秀雄』（講談社、一九八三年）
吉田熙生・堀内達夫編『書誌小林秀雄』（図書新聞社、一九六七年）

3　ふたつの大洋

網野善彦『海と列島の中世』（講談社学術文庫、二〇〇三年）

井上靖『補陀落渡海記　井上靖短篇名作集』（講談社文芸文庫、二〇〇〇年）
T・S・エリオット『荒地』（西脇順三郎訳、創元社、一九五二年）
奥野健男『〝間〟の構造　文学における関係素』（集英社、一九八三年）
奥野健男『文学における原風景　原っぱ・洞窟の幻想』（増補版、集英社、一九八九年）
折口信夫『折口信夫全集第21巻　作品1短歌』（中公文庫、一九七五年）
折口信夫『折口信夫全集第23巻　作品3詩』（中公文庫、一九七五年）
開高健『フィッシュ・オン』（写真＝秋元啓一、新潮文庫、一九七四年）
河合隼雄『明恵　夢を生きる』（京都松柏社、一九八七年）
川村湊『アジアという鏡　極東の近代』（思潮社、一九八九年）
川村湊『異郷の昭和文学「満州」と近代日本』（岩波新書、一九九〇年）
川村湊『言霊と他界』（講談社、一九九〇年）
川村湊『補陀落　観音信仰への旅』（作品社、二〇〇三年）
唐木順三『あづま　みちのく』（中公文庫、一九七八年）
唐木順三『続あづま　みちのく』（中公文庫、一九七九年）
ゲーテ『ファウスト』（相良守峯訳、岩波文庫、一九五八年）
ゲーテ『西東詩集』（小牧健夫訳、岩波文庫、一九六二年）
小林秀雄『モオツァルト・無常といふ事』（新潮文庫、一九六一年）
佐藤春夫『佐藤春夫詩集』（島田謹二編、新潮文庫、一九五一年）
司馬遼太郎『街道をゆく42　三浦半島記』（朝日新聞社、一九九六年）
白井永二編『鎌倉事典』（東京堂出版、一九七六年）
白洲正子『明恵上人』（講談社文芸文庫、一九九二年）
太宰治『右大臣実朝　他一篇』（岩波文庫、二〇二二年）
G・チョーサー『カンタベリ物語』（西脇順三郎訳、ちくま文庫、一九八七年）

西田正好『一休　風狂の精神』（講談社現代新書、一九七七年）
西脇順三郎『*Ambarvalia*／旅人かへらず』（講談社学芸文庫、一九九五年）
永井路子『鎌倉の魅力』（写真＝丸茂慎一、淡交社、一九七三年）
中上健次『熊野集』（講談社文芸文庫、一九八八年）
中上健次『水の女』（講談社文芸文庫、二〇一〇年）
中桐雅夫『中桐雅夫全詩』（思潮社、一九九〇年）
貫達人・石井進編『鎌倉の仏教　中世都市の実像』（有隣新書、一九九二年）
G・バシュラール『水と夢　物質の想像力についての試論』（小浜敏郎・桜木泰行訳、国文社、一九六九年）
G・バシュラール『夢みる権利』（渋沢孝輔訳、筑摩書房、一九七七年）
J・G・フレイザー『金枝篇』（永橋卓介訳、岩波文庫、一九九六年）
N・ホーソン『緋文字』（鈴木重吉訳、新潮文庫、一九五七年）
松尾剛次『中世都市鎌倉の風景』（吉川弘文館、一九九三年）
松尾剛次『中世都市鎌倉を歩く　源頼朝から上杉謙信まで』（中公新書、一九九七年）
三島由紀夫『殉教』（新潮文庫、一九八二年）
水上勉『一休』（中公文庫、一九七八年）
H・メルヴィル『白鯨　モービィ・ディック』（千石英世訳、講談社文芸文庫、二〇〇〇年）
安岡章太郎『流離譚』（新潮文庫、一九八六年）
柳田國男『海上の道』（筑摩叢書、一九六七年）
吉原幸子『オンディーヌ』（思潮社、一九七七年）
吉本隆明『吉本隆明全著作集続6　作家論1源実朝』（勁草書房、一九七八年）
『吾妻鏡』（龍肅訳注、岩波文庫、二〇〇八年）
『世界文學大系4　インド集』（辻直四郎ほか訳、筑摩書房、一九五九年）
『日本古典文学大系29　山家集・金槐和歌集』（風巻景次郎・小島吉雄校注、岩波書店、一九六一年）

『明恵上人集』(久保田淳・山口明穂校注、岩波文庫、二〇〇九年)

4　商船と病院船

鮎川信夫『鮎川信夫全詩集　1946〜1978』(思潮社、一九八〇年)
井上靖『天平の甍』(新潮文庫、一九六四年)
巖谷國士監修『澁澤龍彥　幻想美術館』(平凡社、二〇〇七年)
鬼海弘雄『王たちの肖像　浅草寺境内』(矢立出版、一九八七年)
鬼海弘雄『India』(みすず書房、一九九二年)
鬼海弘雄『印度や月山』(白水社、一九九九年)
P・ゴーギャン『ノアノア』(岩切正一郎訳、ちくま学芸文庫、一九九九年)
澁澤龍彥『高丘親王航海記』(文藝春秋、一九八七年)
島尾敏雄『出発は遂に訪れず』(新潮文庫、一九七三年)
島尾敏雄『震洋発進』(潮出版社、一九八七年)
白洲正子『明恵上人』(講談社文芸文庫、一九九二年)
新藤涼子・高橋順子『連詩地球一周航海ものがたり』(思潮社、二〇〇六年)
A・ブルトン、H・カルティエ゠ブレッソン『太陽王アンドレ・ブルトン』(松本完治訳、エディション・イレーヌ、二〇一六年)
H・メルヴィル『タイピー　ポリネシヤ綺譚』(坂下昇訳、福武文庫、一九八七年)
H・メルヴィル『白鯨　モービィ・ディック』(千石英世訳、講談社文芸文庫、二〇〇〇年)

レオナルド・ダ・ヴィンチ『レオナルド・ダ・ヴィンチの手記』(杉浦民平編訳、岩波文庫、一九五四年)
C・レヴィ＝ストロース『構造人類学』(荒川幾男ほか訳、みすず書房、一九七二年)
C・レヴィ＝ストロース『悲しき熱帯』(川田順造訳、中央公論社、一九七七年)
C・レヴィ＝ストロース『親族の基本構造』(福井和美訳、青弓社、二〇〇〇年)
鷲塚泰光監修『鑑真和上像　里帰り二十周年展』(朝日放送株式会社、一九九九年)

5　琉球弧をたどる

赤坂憲雄『岡本太郎の見た日本』(岩波書店、二〇〇七年)
飯島耕一『宮古』(青土社、一九七九年)
梅原猛『日本の原郷　熊野』(新潮社、一九九〇年)
梅原猛・吉本隆明『対話日本の原像』(中央公論社、一九八六年)
U・エーコ『前日島』(藤村昌昭訳、文藝春秋、一九九九年)
岡本敏子・山下裕二編『岡本太郎が撮った「日本」』(毎日新聞社、二〇〇一年)
鎌田東二『聖なる場所の記憶　日本という身体』(講談社学術文庫、一九九六年)
倉田比羽子『世界の優しい無関心』(思潮社、二〇〇五年)
芸能学会編『折口信夫の世界　回想と写真紀行』(岩崎美術社、一九九二年)
P・ゴーガン『ゴーガン私記　アヴァン・エ・アプレ』(前川堅市訳、美術出版社、一九七〇年)
小長谷清実『小航海26』(れんが書房新社、一九七七年)
島尾敏雄『過ぎゆく時の中で』(新潮社、一九八三年)

M・セール『北西航路　ヘルメスV』（青木研二訳、法政大学出版局、一九九一年）
谷川健一『常世論　日本人の魂のゆくえ』（平凡社選書、一九八三年）
田村隆一『ぼくの航海日誌』（中央公論社、一九九一年）
時里二郎『ジパング』（思潮社、一九九五年）
西村亨編『折口信夫事典』（大修館書店、一九八八年）
平川祐弘『小泉八雲　回想と研究』（講談社学術文庫、一九九二年）
藤沢高治『南島周遊誌』（晶文社、一九九一年）
M・ビュトール『中心と不在のあいだ　都市と世界と』（清水徹・田部井玲子訳、朝日出版社、一九八三年）
H・ヘミングウェイ『海流のなかの島々』（沼澤洽治訳、新潮文庫、二〇〇七年）
ペルリ『ペルリ提督日本遠征記』（土屋喬雄・玉城肇訳、岩波文庫、一九七三年）
松本邦吉『航海術』（思潮社、一九九一年）
柳宗悦『民藝四十年』（岩波文庫、一九八四年）
山之口貘『山之口貘全集第一巻　全詩集』（思潮社、一九七五年）
吉増剛造『オシリス、石ノ神』（思潮社、一九八四年）
吉増剛造『生涯は夢の中径　折口信夫と歩行』（思潮社、一九九九年）
吉増剛造『長編詩ごろごろ』（毎日新聞社、二〇〇四年）
吉増剛造『何処にもない木』（試論社、二〇〇六年）
吉増剛造『表紙 omote-gami』（思潮社、二〇〇八年）
吉増剛造『涯テノ詩聲　詩人吉増剛造展』図録（篠原誠司・平塚泰三・菊井崇史編、足利市立美術館、二〇一七年）
吉増剛造『Voix』（思潮社、二〇二一年）
吉本隆明『全南島論』（作品社、二〇一六年）
ル・クレジオ『パワナ　くじらの失楽園』（菅野昭正訳、集英社、一九九五年）
ル・クレジオ『悪魔祓い』（高山鉄男訳、岩波文庫、二〇一〇年）

ル・クレジオ『物質的恍惚』（豊崎光一訳、岩波文庫、二〇一〇年）
C・レヴィ＝ストロース『野生の思考』（大橋保夫訳、みすず書房、一九七六年）

6　尾道

赤坂憲雄『岡本太郎の見た日本』（岩波書店、二〇〇七年）
安藤礼二『縄文論』（作品社、二〇二二年）
伊波普猷『古琉球』（外間守善校訂、岩波文庫、二〇〇〇年）
M・エリアーデ『聖と俗　宗教的なるものの本質について』（風間敏夫訳、法政大学出版局、一九六九年）
大藤時彦・柳田為正編『柳田國男写真集』（岩崎美術社、一九八一年）
岡本太郎『沖縄文化論　忘れられた日本』（中公文庫、一九九六年）
岡村民夫『イーハトーブ温泉学』（みすず書房、二〇〇八年）
折口信夫『折口信夫全集第一巻　古代研究（國文學篇）』（中公文庫、一九七五年）
折口信夫『折口信夫全集第二巻　古代研究（民俗學篇1）』（中公文庫、一九七五年）
折口信夫『折口信夫全集第三巻　古代研究（民俗學篇2）』（中公文庫、一九七五年）
川村湊『補陀落　観音信仰への旅』（作品社、二〇〇三年）
空海『秘蔵宝鑰』（加藤純隆・加藤精一訳、角川ソフィア文庫、二〇一〇年）
桜井徳太郎『沖縄のシャマニズム　民間巫女の生態と機能』（弘文堂、一九七三年）
志賀直哉『暗夜行路』（新潮文庫、二〇〇七年）
司馬遼太郎『街道をゆく6　沖縄・先島への道』（朝日文庫、二〇〇八年）

R・ソルニット『ウォークス　歩くことの精神史』（東辻賢治郎訳、左右社、二〇一七年）
田名真之監修『別冊太陽　琉球・沖縄を知る図鑑』（平凡社、二〇二三年）
辻邦生『西行花伝』（新潮文庫、二〇二三年）
P・M・ドラン編『セザンヌ回想』（高橋幸次・村上博哉訳、淡交社、一九九五年）
長澤和俊『海のシルクロード史　四千年の東西交易』（中公新書、一九八九年）
中野孝次『実朝考　ホモ・レリギオーズスの文学』（講談社文芸文庫、二〇二〇年）
G・プーレ『円環の変貌』（岡三郎訳、国文社、一九七三年）
外間守善『沖縄の祖神アマミク』（写真＝桑原重美、築地書館、一九九〇年）
港千尋『風景論　変貌する地球と日本の記憶』（中央公論新社、二〇一八年）
松永伍一『実朝游魂』（中央公論社、一九八五年）
宮坂宥勝『空海　生涯と思想』（ちくま学芸文庫、二〇〇三年）
柳田國男『海上の道』（岩波文庫、一九七八年）
柳田國男『海南小記』（角川ソフィア文庫、二〇一三年）
柳田國男『島の人生』（東京創元社、一九六一年）
吉本隆明『共同幻想論』（改訂新版、角川文庫、一九八二年）
吉本隆明ほか『琉球弧の喚起力と南島論』（河出書房新社、一九八九年）
『梵文和訳　華厳経入法界品』（梶山雄一・丹治昭義他訳注、岩波文庫、二〇二一年）

R・アセリノー編『ヘミングウェイ研究　ヨーロッパにおけるヘミングウェイ』（阿部史郎・阿部幸子訳、恒星社厚生閣、一九七一年）
B・アッシュクロフトほか『ポストコロニアルの文学』（木村茂雄訳、青土社、一九九八年）
J＝P・アムリン監修『異邦人たちのパリ 1900-2005』（朝日新聞社、二〇〇七年）
石一郎『ヘミングウェイ研究』（増補改訂版、南雲堂、一九六四年）
石一郎編『ヘミングウェイの世界』（荒地出版社、一九七〇年）
今福龍太『クレオール主義』（ちくま学芸文庫、二〇〇三年）
今村楯夫『ヘミングウェイと猫と女たち』（新潮社、一九九〇年）
E・グリッサン『全-世界論』（恒川邦夫訳、みすず書房、二〇〇〇年）
佐伯彰一編『ヘミングウェイ　20世紀英米文学案内15』（研究社、一九六六年）
佐伯彰一『アメリカ文学史　エゴのゆくえ』（筑摩書房、一九八〇年）
志賀勝編『ヘミングウェイ研究』（増訂版、英宝社、一九五九年）
J・ジョイス『若い芸術家の肖像』（丸谷才一訳、新潮文庫、一九九四年）
J・ジョイス『ユリシーズ』（丸谷才一・永川玲二・高松雄一訳、集英社文庫、二〇〇三年）
G・スタイン『パリ・フランス　個人的回想』（和田旦・本間満男訳、みすず書房、一九七七年）
G・ターナー『カルチュラル・スタディーズ入門　理論と英国での発展』（溝上由紀ほか訳、一九九九年）
丹治恆次郎『最後のゴーガン　〈異国〉の変貌』（みすず書房、二〇〇三年）
東京都美術館ほか編『1920年代・日本展　都市と造形のモンタージュ』（朝日新聞社、一九八八年）
永井荷風『下谷叢話』（岩波文庫、二〇〇〇年）
花田達朗、吉見俊哉、C・スパークス編『カルチュラル・スタディーズとの対話』（新曜社、一九九九年）

M・ハリス『ヘミングウェイのスーツケース』（國重純二訳、新潮社、一九九一年）
N・フエンテス『ヘミングウェイ　キューバの日々』（宮下嶺夫訳、晶文社、一九八八年）
H・C＝ブレッソン『アンリ・カルティエ＝ブレッソン写真集成』（堀内花子訳、岩波書店、二〇〇四年）
H・ヘミングウェイ『エデンの園』（沼澤洽治訳、集英社、一九八九年）
H・ヘミングウェイ『移動祝祭日』（福田陸太郎訳、岩波同時代ライブラリー、一九九〇年）
H・ヘミングウェイ『日はまた昇る』（大久保康雄訳、新潮文庫、一九九〇年）
H・ヘミングウェイ『ヘミングウェイ全短編1』（高見浩訳、新潮文庫、一九九五年）
H・ヘミングウェイ『ヘミングウェイ全短編2』（高見浩訳、新潮文庫、一九九六年）
H・ヘミングウェイ『われらの時代、男だけの世界』（高見浩訳、新潮文庫、一九九六年）
H・ヘミングウェイ『老人と海』（福田恆存訳、新潮文庫、二〇〇三年）
H・ヘミングウェイ『移動祝祭日』（高見浩訳、新潮文庫、二〇〇九年）
B・リーチ『東と西を超えて　自伝的回想』（福田隆太郎訳、日本経済新聞出版、一九八二年）
山川鴻三『ヴェニスと英米文学』（南雲堂、二〇〇四年）
「芸術新潮　大特集ヴェネツィア　海の都の美をめぐる」（新潮社、二〇一一年十一月号）
「ユリイカ　生誕100年記念特集ヘミングウェイ」（青土社、一九九九年八月号）

岡本勝人（おかもと・かつひと）
一九五四年生まれ。詩人、文芸評論家。

評論集

『ノスタルジック・ポエジー　戦後の詩人たち』（小沢書店、二〇〇〇年）
『現代詩の星座』（審美社、二〇〇三年）
『「生きよ」という声　鮎川信夫のモダニズム』（左右社、二〇一七年）
『詩的水平線　萩原朔太郎から小林秀雄と西脇順三郎』（響文社、二〇一九年）
『１９２０年代の東京　高村光太郎、横光利一、堀辰雄』（左右社、二〇二一年）
『仏教者柳宗悦　浄土信仰と美』（佼成出版社、二〇二二年）

詩集

『シャーロック・ホームズという名のお店』（思潮社、一九九〇年）
『ビーグル犬航海記』（思潮社、一九九三年）
『ミゼレーレ　沈黙する季節』（書肆山田、二〇〇四年）
『都市の詩学』（思潮社、二〇〇七年）
『古都巡礼のカルテット』（思潮社、二〇一一年）
『ナポリの春』（思潮社、二〇一五年）

編著・執筆

「三島由紀夫の文学と仏教」『現代日本と仏教Ⅲ　現代思想・文学と仏教』（平凡社、二〇〇〇年）
「解説」『立原道造詩集』（ハルキ文庫、二〇〇三年）
「疋田寛吉の詩と書のフィギュール」疋田寛吉『詩人の書』（二玄社、二〇〇六年）
「清岡卓行」『展望　現代の詩歌2　詩Ⅱ』（飛高隆夫・野山嘉正編、明治書院、二〇〇七年）
「解題」『定本清岡卓行全詩集』（思潮社、二〇〇八年）
「解説」柳宗悦『木喰上人』（講談社文芸文庫、二〇一八年）

海への巡礼　文学が生まれる場所

二〇二三年八月十日　第一刷発行

著者　岡本勝人

発行者　小柳学

発行所　株式会社 左右社
〒一五一―〇〇五一　東京都渋谷区千駄ヶ谷三―五五―一二　ヴィラパルテノンB1
TEL 〇三―五七八六―六〇三〇　FAX 〇三―五七八六―六〇三二
https://www.sayusha.com

装幀　清岡秀哉

印刷　創栄図書印刷株式会社

Printed in Japan. ISBN978-4-86528-376-1

左右社の本

「生きよ」という声　鮎川信夫のモダニズム

岡本勝人［二七〇〇円＋税］

日本の戦後詩を切り拓いた「荒地」最大の詩人鮎川信夫とは何者だったのか？　戦前モダニズムの洗礼を受け、戦争体験を経て、晩年はアメリカ新保守主義を論じたその困難なる詩的道程を、盟友吉本隆明との交渉とともに描きだす力作評伝。現代詩にとって、そして私たちにとって〈戦後〉とは何だったのか――。

1920年代の東京　高村光太郎、横光利一、堀辰雄

岡本勝人［二四〇〇円＋税］

モダニズムからダダイズム、シュルレアリスムまでヨーロッパ文化が怒涛のようにもたらされ、渦巻いた一九二〇年代。高村光太郎、横光利一、堀辰雄をはじめ、中原中也、小林秀雄、宮沢賢治ら、あまたの作家たち、詩人たちがそれぞれの青春を生きていた帝都東京を、一九二三年九月一日、関東大震災が襲う――。転換する時代と文学者の運命を描く。

二〇二二年度日本詩歌句協会大賞評論部門奨励賞受賞。